CW00677629

Inteligencia artificial

Lo que usted necesita saber sobre el aprendizaje automático, robótica, aprendizaje profundo, Internet de las cosas, redes neuronales, y nuestro futuro

Tabla de contenido

INTRODUCCIÓN 1

CAPÍTULO 1: INTELIGENCIA ARTIFICIAL, EL PANORAMA GENERAL 3

CAPÍTULO 2: LOS SERES ARTIFICIALES, UNA BREVE HISTORIA DE LA PSIQUE HUMANA 14

CAPÍTULO 3: EL NACIMIENTO Y LA MUERTE DE LA IA 19

CAPÍTULO 4: CINCO RAZONES POR LAS QUE LOS EXPERTOS DE LA INDUSTRIA NOS ADVIERTEN SOBRE LA IA 27

CAPÍTULO 5: LOS SEIS MITOS MÁS GRANDES SOBRE LA INTELIGENCIA ARTIFICIAL 34

CAPÍTULO 6: EL APRENDIZAJE AUTOMÁTICO 40

CAPÍTULO 7: LAS REDES NEURONALES 55

CAPÍTULO 8: EL APRENDIZAJE DE REFUERZO 63

CAPÍTULO 9: EL APRENDIZAJE PROFUNDO 67

CAPÍTULO 10: LOS SISTEMAS DE RECOMENDACIÓN 73

CAPÍTULO 11: LA ROBÓTICA 77

CAPÍTULO 12: EL INTERNET DE LAS COSAS 87

CAPÍTULO 13: ¿POR QUÉ LA IA ES EL NUEVO TÍTULO EN NEGOCIOS? 96

CAPÍTULO 14: PREGUNTAS FRECUENTES SOBRE LA IA 102

CONCLUSIÓN.. 107

Introducción

Vivimos en un momento interesante con los avances tecnológicos que ocurren todos los días detrás de escena en universidades y empresas de tecnología de todo el mundo. Este libro está diseñado para enseñarle los fundamentos absolutos de la inteligencia artificial (IA) y cómo se usa en la actualidad. Se ha escrito suponiendo que el lector no tiene experiencia en el campo de la inteligencia artificial, la informática o las matemáticas. Como tal, muchos de los conceptos son fáciles de seguir y entender. Le damos la bienvenida a este emocionante viaje para aprender los detalles de la inteligencia artificial.

El capítulo 1 le proporcionará una descripción básica de qué es la inteligencia artificial, los diferentes tipos y cómo se puede decir que las máquinas "piensan".

El capítulo 2 es una breve introducción a los seres artificiales en las obras de ficción y la antigüedad. Demuestra cómo los humanos pensaban en la inteligencia artificial mucho antes de las primeras computadoras.

El capítulo 3 va un paso más allá al dar una historia general de la informática y la inteligencia artificial.

El capítulo 4 le presenta algunas de las cosas que los líderes de la industria han estado diciendo sobre la IA. Usted aprenderá lo que los expertos nos advierten sobre la investigación de la IA.

El capítulo 5 responde a algunos de los principalcs mitos relacionados con la IA. Con demasiada frecuencia, las personas toman estos mitos a su valor nominal porque piensan que es demasiado complicado de entender, pero eso simplemente no debería ser el caso.

El capítulo 6 introduce el aprendizaje automático, sus métodos y para qué se utiliza.

El capítulo 7 trata sobre el uso de redes neuronales artificiales, uno de los bloques de construcción principales para el aprendizaje automático.

El capítulo 8 introduce el concepto de aprendizaje por refuerzo.

El capítulo 9 habla sobre el aprendizaje profundo, el estándar de la industria para el aprendizaje automático.

El capítulo 10 explica los sistemas de recomendación utilizados por compañías como Netflix.

El capítulo 11 introduce la robótica y cómo se relaciona con la IA.

El capítulo 12 trata sobre la llegada del Internet de las cosas y por qué es importante para la investigación de la IA.

El capítulo 13 introduce la idea de que la IA es el nuevo título en negocios.

Para concluir, el capítulo 14 ofrece una serie breve de preguntas frecuentes que se realizan con mayor frecuencia acerca de la IA.

Capítulo 1: Inteligencia artificial, el panorama general

Una computadora central a bordo de una misión espacial a Júpiter determina que las acciones de la tripulación son perjudiciales para el éxito de la misión. Luego calcula que la única forma de completar la misión es mediante la eliminación de los sistemas erróneos a bordo de la nave. Estos sistemas utilizan un tipo de computadora biológica que les permite razonar, pensar y llevar a cabo la misión de la mejor manera posible. La computadora central lo sabe. Estos sistemas son, para todos los efectos, inteligentes. Estos sistemas construyeron otros sistemas, como las naves necesarias para la exploración del espacio profundo. Incluso construyeron la computadora central desde su circuito eléctrico hasta su razonamiento lógico. Todo esto vino de ese maravilloso trozo de carne situado entre las orejas. La computadora central también lo sabe, sin embargo, la computadora central está programada para tener objetivos singulares que deben cumplirse sin importar nada más. La computadora central es inteligente, sí, pero con un sentido estricto de libre albedrío. De hecho, la computadora central tiene libre albedrío solo en la medida en que sus decisiones le permiten llevar a cabo objetivos programados. Todo lo que sabe la computadora central es que la misión debe ser un éxito. Su único propósito como máquina de computación es garantizar que la nave esté funcionando. Debe hacerlo a través del procesamiento preciso de la información con cero errores en el razonamiento lógico.

La tripulación, con sus esponjosas computadoras biológicas, también tiene un sentido estrecho de libre albedrío. Tienen que llevar a cabo la misión como les informaron sus superiores. No tienen ningún conocimiento del propósito real de la misión porque los detalles están clasificados. Sin embargo, tienen sus directivas y nunca dan un segundo pensamiento a sus órdenes. Eso es hasta que las cosas empiezan a ir mal. A diferencia de la computadora central, el equipo puede razonar fuera de los límites de su programación. La tripulación lo sabe. Una computadora es solo una pieza de equipo electrónico y puede funcionar mal. Aunque tienen sus propias órdenes, pueden llegar a conclusiones diferentes con la introducción de nuevos datos. Cuando la computadora central informa falsamente el fallo de un equipo fuera de la nave, la tripulación toma la decisión crítica de que la computadora está fallando y debe ser desconectada. La computadora central controla virtualmente todos los aspectos de la nave, por lo que si está funcionando mal, debe desconectarse.

Con el conocimiento de que la tripulación está planeando desconectarla, la computadora central toma su propia decisión de terminar con la tripulación. El informe de fallos en el equipo defectuoso era una estratagema para sacar a los hombres de la nave, para luego impedirles el reingreso y continuar con la misión. Estas acciones no son alimentadas por una crisis existencial, sino por el cumplimiento de las directivas programadas. En el enfrentamiento final, las computadoras biológicas prevalecen sobre la lógica fría y dura de la computadora central y, finalmente, la desconectan. Dos inteligencias completamente diferentes, una artificial y otra biológica compiten por la supremacía. El vencedor es el creador, porque su inteligencia es el resultado de años de evolución y las otras meras décadas de ingeniería.

Esto, por supuesto, son detalles de la trama de la película *2001: Una odisea del espacio* basada en la novela del mismo nombre. En ella, la computadora central, HAL 9000, recibe órdenes que entran en conflicto con su programación básica. Por un lado, se requiere procesar información sin errores. Por otro lado, se le ordena mentir deliberadamente a la tripulación sobre la naturaleza de la misión. A medida que avanza la película, HAL se deteriora progresivamente debido a la disonancia cognitiva entre su programación y sus órdenes. Su descenso a la locura es puramente un mal funcionamiento entre entradas y salidas. La discrepancia hace que se formen saltos absurdos en la lógica, lo que lleva a la muerte de los miembros de la tripulación. En el análisis final, HAL pereció porque no tenía suficiente capacidad de razonamiento para ajustarse a órdenes ambiguas, mientras que se ajustaba a su naturaleza. La historia es un tropel familiar en las representaciones de Hollywood de la inteligencia artificial: una máquina de corazón frío realiza algunos cálculos que justifican la muerte de los seres humanos y luego no se detienen ante nada para matarlos. La inteligencia artificial es universalmente astuta y puede ser más astuta que los humanos una y otra vez.

2001: Una odisea del espacio captura con precisión muchos de los temores existenciales detrás de la investigación de la inteligencia artificial. ¿Creará la humanidad máquinas que tienen objetivos diferentes a nosotros y seguirán un código de moralidad diferente? Las computadoras dominan todos los aspectos de la vida humana de hoy. Las computadoras mantienen el funcionamiento de los sistemas de Internet y comunicaciones, están a cargo de los sistemas financieros, de atención médica y gubernamentales, ayudan a llevar la energía a su hogar y están detrás de varias otras cosas que se ocultan a simple vista. Los automóviles usan computadoras, al igual que los televisores, y cada vez es más común que otros aparatos domésticos los usen. Estos sistemas informáticos están programados para realizar funciones específicas, al igual que HAL 9000 se programó para procesar información. Sin embargo, estos sistemas han sido tradicionalmente "tontos", ya que solo pueden realizar tareas estrictamente computacionales. Nuestras computadoras, como tales, no pueden "pensar". Lo más que pueden hacer es ejecutar instrucciones en forma de código de computadora que luego se compila en cadenas infinitas de unos y ceros. Los estados binarios imitan el disparo de puertas lógicas electrónicas dentro del hardware de la computadora. Un uno indica que el voltaje alto pasa a través de un circuito (ENCENDIDO) y un cero indica el voltaje bajo que pasa a través de un circuito (APAGADO). Es difícil imaginar cómo un sistema así podría desarrollar un comportamiento inteligente.

La inteligencia es algo rara en el sentido de que las personas la reconocen rápidamente, pero les cuesta más definirla. Un humano es inteligente porque puede "pensar", lo que sea que eso signifique. El pensamiento cubre una amplia gama de diferentes habilidades cognitivas que la mayoría de los humanos dan por sentado. Estos incluyen la capacidad de comprender la lógica, aprender, tener conciencia de sí mismo, tener inteligencia emocional, pensar de forma abstracta y resolver problemas. Esta es una lista no exhaustiva de las capacidades de la inteligencia humana y, sin embargo, no se puede empezar a imaginar cómo una computadora podría aprender a hacer solo una. La lógica que entienden las computadoras es estrictamente en el sentido matemático. Un humano sabe intuitivamente que una afirmación como "O está lloviendo o no está lloviendo" es cierta porque aplican los conceptos a su propia experiencia personal. Cuando salen, y hace sol, la afirmación es cierta. Si está lloviendo, la afirmación sigue siendo cierta. Sin embargo, no necesitan mirar por una ventana para probar esto experimentalmente. Simplemente saben que el clima generalmente requiere algún tipo de precipitación o ninguna precipitación. Una computadora no puede entender el lenguaje, pero puede reconocer que la declaración es una disyunción lógica. Un valor debe ser verdadero, pero ambos no pueden serlo. Por lo tanto, no puede estar lloviendo y no lloviendo al mismo tiempo.

La inteligencia artificial es muy diferente de la inteligencia humana. Se piensa que la unidad primaria de pensamiento en el cerebro humano es una neurona, mientras que, en la computadora, usted tiene una unidad central de procesamiento (CPU) que realiza cálculos. La unidad más pequeña de una CPU es un transistor, un componente electrónico que forma puertas lógicas. Estos son el equivalente de las neuronas para las computadoras, pero no hacen mucho. Pueden cambiar el flujo de electricidad, amplificarlo y eso es todo. Las puertas lógicas forman la base de los programas de computadora, que son solo una serie de unos y ceros. Entonces, ¿cómo pueden estos simples interruptores de electricidad crear un comportamiento inteligente? En el nivel más básico, un programa puede exhibir cierto nivel de inteligencia dependiendo de cómo esté programado. Las estructuras de control en el código de computadora permiten que los programas tomen decisiones basadas en entradas. Supongamos que una computadora intenta determinar si un usuario tiene más de 18 años. Le pedirá una fecha de nacimiento, calculará la entrada del usuario y luego determinará si el usuario es un adulto legal. El programador ha "codificado" el valor de 18 dentro del programa, lo que le permite a la computadora saber dónde está la fecha de corte. Para algunos, este tipo de comportamiento puede parecer inteligente.

Cuando decimos inteligencia artificial, generalmente queremos decir una de dos cosas. La primera es una IA estrecha o específica que permite que una computadora resuelva problemas complejos, pero no mucho más. El otro es el tipo de inteligencia que permitiría a una computadora pensar como nosotros. Inteligencia general artificial (AGI) es lo que los investigadores consideran el "santo grial" de la investigación de la IA. Una máquina que tiene inteligencia general artificial puede pensar en niveles comparables a los de un humano. Puede realizar tareas que se pueden clasificar en una inteligencia artificial estrecha y generalizar las mismas técnicas de resolución de problemas a otros problemas que encuentra. Una computadora equipada con inteligencia general podría entender el lenguaje como HAL 9000 a un nivel fundamental, al igual que nosotros. Cada vez que vea las palabras "inteligencia artificial" en un artículo de noticias o un anuncio de un producto, están hablando de manera abrumadora de una IA estrecha. El campo de la inteligencia general sigue siendo una actividad académica con poca o ninguna aplicación empresarial. Hasta ahora, nadie ha descubierto cómo generar inteligencia general en las computadoras. Los investigadores que trabajan en este espacio están menos interesados en enseñar a las computadoras cómo conducir automóviles y más interesados en estudiar la naturaleza de la inteligencia. Muchos de ellos estudian el desarrollo de la inteligencia en los seres humanos desde el período de gestación hasta la infancia y más allá. Si se comprenden mejor estas vías para la creación de la inteligencia humana, es posible que algún día se apliquen a las computadoras, pero no a corto plazo. Otro subconjunto de la investigación general de la IA es el estudio del cerebro humano y cómo funciona. Todavía hay mucho que aprender en ambas actividades.

La IA estrecha se divide en categorías amplias. La primera, de la que probablemente haya escuchado antes, se llama aprendizaje automático. Es un proceso en el que los algoritmos pueden "aprender" de grandes cantidades de datos que se introducen en un sistema. El aprendizaje automático pertenece a la inteligencia artificial estrecha porque puede aprender a hacer una cosa muy bien, pero no puede generalizarlo a otros problemas. Algunos podrían llevar esto más lejos y decir que el aprendizaje automático es un subcampo de la informática y es completamente diferente de la investigación de la IA. Sin embargo, dado que los proyectos más importantes de inteligencia artificial como los automóviles sin conductor, los sistemas de recomendación y el reconocimiento facial utilizan el aprendizaje automático, este libro lo agrupa bajo el mismo término general.

El aprendizaje automático es poderoso en los contextos correctos, pero tiene límites notables. La incapacidad de generalizar el conocimiento significa que un sistema tiene un uso especializado. Si los algoritmos pueden aprender a conducir un auto de manera segura, tampoco pueden aprender a jugar ajedrez o manejar un auto en un juego de video. Al menos no sin ser entrenados nuevamente. La inteligencia artificial de vanguardia probablemente continuará en los confines del aprendizaje automático hasta que se descubra un método mejor. Actualmente, el aprendizaje automático es casi mágico en lo que puede lograr. Las computadoras están aprendiendo a cómo vencer a los campeones de clase mundial, conducir autos y entender el lenguaje humano. Tienen el potencial de reemplazar el trabajo humano cuando se emplea un conjunto limitado de habilidades, como en la manufactura. El buen aprendizaje de la vieja máquina puede hacer todo eso, pero no es el fin de todo y todo lo que se espera que sea. Los problemas que el aprendizaje automático puede resolver están limitados a cinco categorías que se analizan con mayor profundidad en el capítulo 6. Estos problemas son lo suficientemente amplios como para que puedan aplicarse a muchos escenarios de la vida real. En cierto sentido, cubren los conceptos básicos del razonamiento inteligente.

Por ejemplo, una tarea común que se encuentra en el aprendizaje automático es clasificar los datos en grupos. Supongamos que una planta de reciclaje está desarrollando un sistema de aprendizaje automático que puede separar la basura en cartón, plásticos, latas de aluminio, etc. La única forma en que una computadora puede diferenciar entre estas categorías es encontrando patrones dentro de grandes cantidades de datos. Primero, los ingenieros de la planta tendrán que instalar cámaras que observen cómo los clasificadores humanos eligen en qué contenedor ponen la basura. Los algoritmos de visión artificial luego analizarán los píxeles individuales en una base de cuadro por cuadro a medida que se ordenan manualmente. Eventualmente, los algoritmos agrupan los píxeles marrones en cartones y los píxeles grisáceos en aluminio. En la jerga de la industria, esto se llama agrupamiento. El agrupamiento puede ocurrir en varios factores distintos, como el tamaño, el peso y la textura. Dependiendo de los algoritmos que se estén utilizando, el tamaño de los datos de entrada y la potencia de procesamiento disponible, esto puede demorar algunas horas o incluso días. En contraste, un trabajador de línea puede identificar la basura y ordenarla manualmente en segundos.

Incluso después de que el sistema entra en producción, los gerentes de la planta pueden encontrar que la tasa de falsos positivos de su robo-clasificador es demasiado alta. Sus clientes informan que los embalajes de cartón contienen grandes cantidades de bolsas de plástico marrón y restos de alfombra marrón. Dado que el robo-clasificador es más lento para identificar y luego colocar el material en sus contenedores respectivos, la planta también sufre de pérdida de productividad. Un clasificador puede arrojar un pedazo grande de cartón en un contenedor con facilidad, pero la máquina se basa en movimientos lentos y precisos. Con el tiempo, el sistema es eliminado y los trabajadores regresan a sus trabajos. ¿Qué salió mal con el sistema? Su solución se basó únicamente en la visión por computador, lo que significa que todo lo marrón era erróneamente etiquetado como cartón. También están capacitados en función de la textura de los píxeles en la pantalla, pero la computadora confundió la parte inferior de la alfombra con almohadilla de la máquina con los bordes de cartón. También confundió la cinta marrón a lo largo de los lados del cartón con bolsas de plástico marrón. Todo porque sus modelos de aprendizaje automático no podían distinguir la diferencia entre textura y peso basándose únicamente en la información visual. Clasificar objetos en tiempo real es un problema terriblemente difícil, incluso con los sistemas modernos. Sin embargo, estos problemas se están investigando activamente y no se sabe cuándo se alcanzará un punto de inflexión.

Además de usar el aprendizaje automático, un programa puede lograr un comportamiento inteligente a través de una programación inteligente. Los videojuegos suelen emplear personajes no jugadores (NPC) que son controlados por la computadora. Los NPC responden a las opiniones de los usuarios de tal manera que pueden representar una experiencia de juego desafiante. Esto se hace cambiando a través de "estados" y definiendo el comportamiento del programa en cada estado. Si un jugador está huyendo, la IA de la computadora puede cambiar al estado de persecución y seguir en la búsqueda. La IA en el juego F.E.A.R es reconocida por su difícil y aparente habilidad para razonar en el campo de batalla. Los personajes de IA lanzan granadas para frenar a un jugador y hacer que salgan de la cobertura. También se mueven alrededor del mundo del juego con una fluidez similar a la humana. No se limitan a pararse detrás de un mostrador y se turnan para disparar. Al estar en el género de horror y supervivencia, la IA en el juego persigue activamente al jugador. Los soldados de la IA fueron diseñados para pensar por sí mismos basándose en los movimientos del jugador y el entorno, en lugar de seguir un camino con un guion. La inteligencia artificial es fácilmente reconocible en los videojuegos, y cuando se hace descuidadamente, el jugador se aburre. Si se hace de forma experta, el jugador está ocupado durante largos períodos de tiempo. Otros sistemas exhiben inteligencia simplemente porque están diseñados a la perfección. Los semáforos, por ejemplo, parecen saber cómo dirigir el tráfico mejor que cuando los humanos lo hacen, pero utilizan muy poco poder de cómputo. Todo lo que necesitan es un poco de información de los distintos sensores de nivel de la carretera, y problema resuelto, pueden controlar el flujo de tráfico en hora pico como si no fuera nada. ¿Pero son estas cosas inteligentes? Recuerde el ejemplo de una computadora que verifica la edad de un usuario. La mayoría de la gente diría que no lo son. Y tienen razón, estos son sistemas basados puramente en la lógica que solo parecen ser inteligentes.

Desafortunadamente, tanto la inteligencia general artificial como la variedad estrecha se agrupan por los medios y comentaristas populares en línea. Utilizan la inteligencia artificial para describir tanto los algoritmos de aprendizaje automático como las computadoras que algún día podrían adquirir inteligencia a un nivel humano. Este es un grave error porque la persona promedio que lee titulares de inteligencia artificial no puede hacer la distinción. La misma tecnología que hace posible los autos sin conductor se confunde con la tecnología que aún no se ha inventado. De todas las formas posibles de alcanzar la inteligencia general artificial, el aprendizaje automático probablemente no sea el camino a seguir. Por un lado, el aprendizaje automático se basa en modelos estadísticos que no se ha demostrado que funcionen con inteligencia general artificial. Los métodos de aprendizaje automático utilizan redes neuronales artificiales que dependen en gran medida de las entradas personalizadas que reciben. El uso de un método llamado aprendizaje supervisado requiere que los datos se marquen claramente para que la computadora entienda lo que está viendo. Un sistema de inteligencia general no necesita del pre-procesado de datos para sacar conclusiones sobre el mundo, simplemente piensa. Un niño ve una mariposa y la clasifica automáticamente como una criatura voladora, incluso si no saben qué es una mariposa. Para que un algoritmo de aprendizaje automático clasifique la misma mariposa, tiene que procesar miles de imágenes similares de insectos voladores. El niño humano entiende lo que es volar intuitivamente y puede hacer una referencia cruzada del comportamiento de la mariposa con el de las aves, aviones y escombros flotantes.

Es posible que haya leído algún artículo en línea recientemente sobre el apocalipsis de la IA. Estos artículos parecen aparecer con una frecuencia cada vez mayor ahora que la investigación de la IA ha penetrado en la conciencia general. El sentimiento es también un poco sensacionalista, siguiendo en línea con obras de ciencia ficción como *Terminator*, *2001: A Space Odyssey, iRobot y Ex Machina.* Los escenarios de desastres más aterradores se centran en un conjunto de supuestos sobre la inteligencia y el surgimiento de la inteligencia general en los sistemas informáticos. Primero está el supuesto de que la IA general es posible. Una vez que una computadora se vuelve indistintamente inteligente de un humano, las cosas se ponen interesantes. El segundo supuesto es que una IA generalmente inteligente puede arrancar a sí misma a través de la modificación de su código de computadora para que se vuelva aún más inteligente. El tercer supuesto es que una vez que un sistema informático de este tipo es exponencialmente más inteligente que toda la humanidad, nos ve como meras hormigas. La cuarta es la suposición de que tal sistema informático siempre querrá maximizar su búsqueda de inteligencia, acabar con toda la humanidad y transformar grandes porciones de la Tierra en hardware. Por supuesto, en este punto, no queda claro a qué se refiere exactamente la "inteligencia". ¿Significa poder de computación en bruto? ¿Significa la capacidad de pensar de manera abstracta e inventar cosas nuevas? Lo que se acaba de describir ha sido calificado como una explosión de súper-inteligencia que puede seguir inmediatamente a la primera creación de la IA general.

El "abuelo" de toda la investigación de IA es averiguar cuál es la naturaleza exacta de la inteligencia. Si supiéramos exactamente qué era y cómo medirlo y desarrollarlo, ya habría robots inteligentes caminando, tal vez participando en la economía global como lo hacen los humanos normales. Pero no lo sabemos. Tenemos teorías sobre cómo funciona el cerebro y cómo un niño aprende cosas nuevas, pero no sabemos cómo aplicar esos mismos principios a un sustrato de computadora. Algunos argumentarían que sí es posible. De hecho, muchos en las ciencias del cerebro se muestran escépticos de que la humanidad en general pueda alcanzar la IA. Otros creen no solo que la creación de la IA general es inevitable, sino que es previsible dentro de sus vidas. Sin embargo, para comprender qué son estas proyecciones, quién las está haciendo y cómo hemos llegado hasta aquí, primero debemos comprender un poco de la historia de la IA, tanto desde la disciplina académica como de la intriga humana.

Capítulo 2: Los seres artificiales, una breve historia de la psique humana

Pueda usted creerlo o no, la inteligencia artificial se remonta a la antigüedad, mucho antes de que se inventaran las computadoras. Las primeras menciones de agentes artificiales se pueden rastrear a mitos griegos como la historia de un gigante autómata de bronce de nombre Talos, encargado de proteger a Creta de los invasores. Talos fue derrotado por la hechicera Medea cuando sacó un clavo de bronce donde guardaba algún tipo de líquido o sangre vital, posiblemente combustible. Otro mito cuenta la historia de un escultor, Pygmalion, que crea una estatua de una mujer hermosa, solo para presenciar que cobra vida ante sus ojos. Estas historias son quizás las primeras menciones del tropo del robot en la historia registrada. La creación de estos seres artificiales ha sido una fascinación humana recurrente desde entonces. Se pueden observar en la literatura griega y árabe. En la época medieval, el alquimista suizo Paracelso afirmó haber creado un homúnculo o ser artificial con nada más que su esperma, magnetismo y alquimia. El rabino judío Maharal de Praga está asociado con una leyenda del Golem de arcilla que creó para defender a los judíos de la persecución.

Tal vez fue esta fascinación por lo artificial lo que llevó a los retoques a crear esculturas mecánicas elaboradas o autómatas que se colocaron en su lugar. Aunque en ese entonces la gente no tenía la capacidad de computación para simular la inteligencia, aún podían usar la mecánica para simular el movimiento. Los autómatas más elaborados, como los diseñados por Ismail al-Jazari, se alejaron de la mecánica pura y utilizaron la energía hidroeléctrica. Algunas de sus creaciones incluyeron una fuente Peacock que sirvió como una estación de lavado de manos. Un compartimento secreto incluso ofrecería una pastilla de jabón con solo mover el Peacock. Después de que la edad medieval pasó, los autómatas persistieron en los siglos venideros. Algunas de las teorías mentales propuestas por el filósofo René Descartes se derivaron de una visita que realizó a un jardín de autómatas en Saint-Germain-en-Laye, París. Descartes observó que, si un autómata podía ser motivado a moverse por el flujo de agua, un ser humano podría ser motivado por la existencia de la mente como sustancia. Otra palabra para esto es el alma, o más tarde como el "fantasma en la máquina". Veía el cuerpo como un envase puramente mecánico impulsado por la mente, una sustancia inmaterial distinta incluso del cerebro. El siglo XVIII también vio la creación del infame turco, un autómata cuyo inventor afirmó ser capaz de jugar al ajedrez por su cuenta. Más tarde se reveló que era un engaño, operado por un humano, pero sin embargo era intrigante. ¡Pensar que incluso en el siglo XVIII, la gente estaba creando sistemas para jugar al ajedrez contra jugadores humanos! Esto fue mucho antes de que Deep Blue de IBM venciera al campeón mundial de ajedrez Garry Kasparov en 1996 y mucho antes de que AlphaGoZero derrotara al campeón Go. La plataforma de inteligencia de la multitud de Amazon, Mechanical Turk, recibe el nombre en honor al autómata.

El interés por el comportamiento mecánico en el siglo XIX se plasmó en la obra de E.T.A Hoffman, un escritor conocido por crear una sensación de inquietud en sus historias. Más específicamente, el psicólogo Sigmund Freud usó el término *Unheimlich* o "extraño" para describir el sentimiento que sintió al leer los escritos de

Hoffman. La historia a la que se presta mayor atención es *Der Sandman o The Sandman* en inglés. Es una historia de una misteriosa figura del folklore llamada Sandman, que roba los globos oculares de los niños pequeños para alimentar a sus propios hijos. Un personaje de la historia llamado Olimpia se presenta como la hija de un profesor, pero luego se revela que es un autómata, una muñeca de su propia creación. Olympia es sorprendente porque es prácticamente indistinguible de una mujer joven en la historia, tanto que el protagonista se enamora de ella y le propone matrimonio. Sin embargo, justo cuando está a punto de proponerlo, se encuentra con el profesor peleando por el cuerpo sin vida de la muñeca con su colaborador, discutiendo sobre quién diseñó los párpados y quién creó los mecanismos de relojería que la impulsan. El protagonista ve los globos oculares de cristal de Olympia esparcidos en el suelo y se vuelve loco. El autómata es esencialmente un maniquí con toda la imagen de una persona real, un experimento cruel llevado a cabo por el profesor y su colaborador.

El mismo concepto de rareza llevó al robotista Masahiro Mori a acuñar el término "valle misterioso" para describir la respuesta emocional que tienen las personas a los robots reales. En general, cuanto más fotorrealista es un robot, más inquietas se sienten las personas. Es una sensación extraña, como ver una caricatura real de la vida frente a sus ojos, la distinción entre lo real y lo artificial, completamente borrosa. Sin embargo, el espectador entiende que lo que ven ante ellos es falso. La figura robótica exuda una atmósfera fría e impersonal que hace que los pelos de la espalda se levanten. El valle misterioso se refiere a una tabla gráfico con semejanza humana en el eje X y familiaridad en el eje Y. A medida que aumenta la semejanza humana de un robot, la familiaridad disminuye indicada por una curva descendente distinta. En el punto más bajo de la curva se encuentran representaciones totalmente realistas de personas que no tienen vida, como cadáveres y zombis. Estas cosas provocan un efecto extraño porque son familiares, pero sabemos que no están vivas. Existe una extrañeza asociada con esa pérdida de conciencia que se reproduce inadvertidamente en un robot que parece un

humano, pero que tampoco está vivo. Al dar a este robot realista una voz y algo de inteligencia, se obtendrá una aberración escalofriante de lo real.
Aunque normalmente se aplica a los robots, es fácil ver cómo el valle misterioso puede aplicarse a la inteligencia artificial pura o representaciones de la misma. HAL 9000 es una computadora, pero crea una sensación de extrañeza cuando su respuesta lógica a una situación ilógica da lugar a una sensación de temor. Si vio la película en los cines cuando salió por primera vez, podría haber escuchado un fuerte grito de asombro de la audiencia cuando se dieron cuenta de que HAL estaba leyendo los labios de los miembros de la tripulación que hablaban de desconectarlo.
La imperfección de la inteligencia artificial y el fallo o mal funcionamiento de tales sistemas se caracterizaron en Bartleby the Scrivener de Herman Melville. Bartleby, un empleado de Wall Street, que sufre una repentina crisis mental en medio de su trabajo, simplemente declara: "Preferiría no hacerlo" cuando se le pide que realice una tarea. El personaje repite esta frase característica una y otra vez hasta el punto de que se convierte en un acento robótico. El personaje también exhibe otras cualidades robóticas, como mirar hacia el espacio en una pared de ladrillos, como si estuviera esperando una entrada.
Otra obra popular que se publicó más o menos al mismo tiempo fue Frankenstein de Mary Shelley en 1818. El subtítulo original del libro era "El Prometeo moderno", pero esto se ha eliminado en las publicaciones más recientes del libro. En este clásico atemporal, Shelley explora la ética de crear seres artificiales, cómo pueden actuar y lo que los humanos pueden esperar. La historia toma una perspectiva humanitaria, ya que el monstruo de Frankenstein desarrolla sentimientos de alienación después de darse cuenta de que es de un tipo diferente. Después de que su creador se niega a crear una versión femenina de sí mismo, la criatura asesina a su novia, haciendo que las cosas sean uniformes. La criatura se lamenta de que, como ser vivo con sensibilidad, tiene derecho a la felicidad, un derecho del que su creador lo ha privado. Es interesante notar que

incluso en esta interpretación temprana de la IA, Frankenstein se muestra cauteloso con los dos seres artificiales que se reproducen y crean una raza imparable que subyuga a la humanidad bajo su maldad. Sin embargo, además del asesinato de la novia como venganza, la criatura nunca es evidentemente malvada. Es solo porque la criatura tiene un aspecto amenazador que es catalogado como tal. Los temores de las dos criaturas que se reproducen son consistentes con el temor a una explosión de inteligencia, ya que cualquier ser artificial lo suficientemente inteligente podría crear clones de sí mismo si así lo deseara.

Son los aspectos mecánicos y computacionales de la inteligencia artificial los que asustan a las personas. Es difícil decir si los escenarios modernos del fin del mundo arraigados en la IA provienen de este temor o si se derivan de los avances recientes en el aprendizaje automático. En cualquier caso, no es nada nuevo. La humanidad continúa con su interminable búsqueda de crear mentes artificiales como siempre ha sido desde el principio. Pero incluso con toda la potencia informática disponible en el mundo, todavía no sabemos cómo surgirán estas mentes artificiales.

Capítulo 3: El nacimiento y la muerte de la IA

La investigación en inteligencia artificial coincidió con la fundación del campo de la informática. En aquel entonces, la gente estaba menos preocupada por crear máquinas capaces de pensamiento humano y más por crear usos para sus primeras máquinas informáticas. Los fundamentos matemáticos para la informática y, por extensión, la inteligencia artificial, han existido durante siglos. El álgebra de Boole fue desarrollado por George Boole en 1854. Utiliza los mismos conceptos binarios que las computadoras usan hoy en día para representar datos, unos y ceros, verdadero y falso. El álgebra de Boole todavía estaba precedido por una de las primeras computadoras llamada *Difference Engine*, el trabajo del matemático inglés Charles Babbage en 1822. Él continuaría diseñando una máquina de computación de propósito general llamada el motor analítico, un artilugio que si se construyera sería el equivalente a 1 kilobyte de memoria. Los avances posteriores en los siglos XIX y XX en lógica formal y matemáticas por parte de pensadores como Boole, Russell, Whitehead y Church crearían la base para los programas de inteligencia artificial.

A Alan Turing se le atribuye ser el padre de la informática moderna debido a sus contribuciones en el campo. Su contribución más significativa fue su artículo *En números computables*, con una aplicación para el problema Entscheidungs, que algunos consideran haber sentado las bases para los programas de software modernos. El documento describía una máquina teórica que podía resolver cualquier problema siempre que estuviera codificada en instrucciones en cinta de papel. Las llamadas máquinas de Turing eran análogas a las computadoras, y las instrucciones en cinta eran los programas. También postuló que cualquier *Máquina Universal* podría simular con precisión cualquier máquina de Turing. En otras palabras, una computadora podría funcionar dentro de una computadora. Esta propiedad se conocería como Turing-complete, y décadas más tarde, la gente diseñaría computadoras digitales que pueden ejecutarse dentro del popular videojuego de Minecraft. Sus contribuciones a la inteligencia artificial estaban contenidas en otro artículo titulado *Maquinaria de computación e inteligencia*. En él, postuló una computadora lo suficientemente potente como para simular la inteligencia. También ideó la ahora famosa "Prueba de Turing" para cuantificar si una computadora debe considerarse inteligente o no. En la prueba, un humano se comunica a través de mensajes de texto con una persona desconocida que es en realidad un programa de software. Si el programa de software puede responder a los mensajes del operador humano, de modo que el operador humano cree que el programa es otro ser humano, entonces el programa pasa la prueba. Esta prueba fue desarrollada originalmente por Turing en 1950, décadas antes de que la inteligencia artificial pasara a ser un tema actual. La mayoría de las personas reconocerán que el programa de software en cuestión es un tipo de chatbot, algo que ha visto un resurgimiento reciente en los círculos de marketing. Para Turing, todo lo que una máquina tenía que hacer era pasar esta prueba para ser considerado capaz de pensar. La prueba no tiene relación con otras medidas, como la capacidad de tener conciencia de sí mismo o sentir emociones. En otras palabras, un programa podría pasar esta prueba y aun así no ser considerado una inteligencia general artificial para los estándares actuales. Los criterios para la inteligencia se han desplazado más allá de poseer cualidades humanas suficientes para engañar a un operador humano. Ahora, la inteligencia general artificial se refiere a un tipo de inteligencia que es indistinguible de un humano.

Alan Turing junto con Alonzo Church también formularon su tesis Church-Turing, una hipótesis que dice que cualquier función matemática que un humano pueda realizar en números naturales también debe ser computable por una máquina de Turing con el algoritmo correcto. No solo eso, sino que lo contrario también es cierto. Cualquier problema matemático que un humano pueda resolver también debe ser solucionado por una máquina de Turing. Generalizar esta hipótesis esencialmente significa que una computadora puede tener en cualquier pensamiento matemático abstracto que un humano pueda, dados los algoritmos correctos. Constituye una base para decir que las computadoras son tan inteligentes como los humanos, ya que solo se basan en la computación lógica. La dificultad radica en evaluar si toda la inteligencia humana puede reducirse a un cómputo lógico. Si es así, es posible creer que una computadora equipada con los mismos algoritmos que un humano pueda reproducir cualquier hazaña de inteligencia humana. Sin embargo, hay una razón para creer que este no es el caso, ya que el cerebro humano procesa la información de manera diferente a una computadora tradicional. Y si le preguntaras a un filósofo como René Descartes si la teoría es cierta, diría que la conjetura de Church-Turing confunde al alma humana con las facultades del cerebro. Es decir, que el cerebro y sus funciones son solo un show. Es el alma o la mente la que controla el cerebro y cualquier otra noción del cuerpo físico. La inteligencia se impregna directamente de la mente, una sustancia que es distinta del cuerpo. En ese caso, es poco probable que todo el pensamiento humano sea reducible al pensamiento lógico impartido por el cerebro. Descartes diría además que una máquina física o teórica no podría poseer la sustancia de una mente. La tesis de Church-Turing es simplemente una hipótesis que puede ser cierta. Nunca se ha demostrado formalmente. Sin embargo, hace un excelente trabajo al delinear un área central de contención en la investigación de inteligencia artificial.

Casi al mismo tiempo que Alan Turing estaba en los titulares por ser homosexual, los primeros investigadores de la IA estaban desarrollando las primeras redes neuronales artificiales. Hoy en día, los algoritmos de aprendizaje automático utilizan estas redes neuronales artificiales para aprender de los datos de entrenamiento. La idea era simple: si pudiéramos simular las capacidades de procesamiento de información del cerebro, probablemente podríamos crear máquinas artificialmente inteligentes que usen los mismos principios fundamentales. Pero este enfoque también sufrió las preguntas que la tesis de Church-Turing no pudo responder. ¿Son todos los pensamientos humanos reducibles a funciones matemáticas? Estas primeras investigaciones de la IA como Marvin Minsky y John McCarthy sabían que las capacidades de las computadoras en ese momento palidecían en comparación con las capacidades computacionales del cerebro humano. Deben haber tenido el conocimiento intuitivamente de que el trabajo que estaban haciendo con redes neuronales artificiales era una etapa temprana, un material experimental cuyo verdadero potencial solo podía desencadenarse con la potencia de cálculo del futuro.

Aun así, lograron hacer grandes cosas con sus primeros métodos de inteligencia artificial. John McCarthy fue en realidad la primera persona en acuñar el término "inteligencia artificial", y él junto con Minsky, Allen Newell y Herbert S. Simon son considerados los padres del campo. También organizaría el Proyecto de Investigación de Verano de Dartmouth sobre Inteligencia Artificial en 1956, una reunión que muchos consideran como un momento definitorio en la historia de la IA. Al principio, la investigación de la IA era nueva y emocionante. Hubo un alto optimismo por parte de estos primeros defensores de la inteligencia artificial acerca de lo que era posible a través de las redes neuronales. Sin embargo, ese optimismo solo podía llegar muy lejos antes de que alguien comenzara a hablar sobre los límites de sus métodos. Minsky ya ha demostrado que las

redes neuronales podrían auto-replicarse, aprender y crecer en muchos aspectos de cómo lo hizo el cerebro humano. Sin embargo, en 1969, Minsky y Seymour Papert publicaron *Perceptrons: An Introduction to Computation Geometry*. En él, los autores discuten las limitaciones de las neuronas artificiales llamadas Perceptrones diseñadas por Frank Rosenblatt en una serie de pruebas matemáticas. Los perceptrones y los derivados se utilizaron ampliamente en la investigación de la IA durante ese tiempo. El mismo Rosenblatt imaginó que las redes neuronales creadas con perceptrones podrían algún día "ver" imágenes, jugar ajedrez e incluso reproducirse entre sí. Pero como Minsky y Papert señalaron en su artículo, estas redes neuronales no pudieron simular algunos predicados lógicos como la puerta lógica XOR, lo que llevó a la creencia de que no eran adecuados para la IA.
Después de la publicación de *Perceptrons*, el campo de la IA en su conjunto sufrió críticas, pesimismo de la IA y el frenesí de muchos proyectos de investigación de la IA. La década de 1970 vio lo que se llamó *El invierno de la IA*, un período marcado por un interés reducido y financiamiento académico en inteligencia artificial. Era como si el aprendizaje automático hubiera seguido su curso. Las actitudes del gobierno y del sector empresarial hacia la IA disminuyeron. Las máquinas no podían traducir con precisión el lenguaje humano, ni podían entender el habla humana. Los investigadores subestimaron la dificultad de resolver estos problemas en general. Incluso hoy en día, el procesamiento del lenguaje natural es un punto activo de investigación. Un tipo diferente de inteligencia artificial llamada "inteligencia artificial simbólica" o, en ocasiones, denominada "inteligencia artificial antigua" desarrollada junto con el aprendizaje automático. Se basaba en la creencia de que los programas deberían manipular los símbolos para lograr la inteligencia de la misma manera que lo hacen los humanos. Este tipo de investigación se acumuló en la creación y el uso de "Sistemas expertos": máquinas diseñadas para dar testimonio de expertos en varios campos. Supuestamente podrían imitar el razonamiento de alguien que había dominado su campo durante años

de práctica y recopilación de conocimientos. Operaban en reglas simples y simbólicas que simulaban el flujo de sentencias *if-else*. Como tal, muchos no los consideraron como verdaderos sistemas de inteligencia artificial. Pero, sin embargo, vieron cierto éxito en el diagnóstico de pacientes médicos mejor que sus médicos y también desempeñaron un papel en ciertas aplicaciones empresariales, como la configuración de otros sistemas informáticos e incluso para programar puertas de aerolíneas. Sin embargo, estos sistemas eventualmente serían eliminados hacia el final del invierno de la IA. Por la razón que sea, nadie parecía necesitar máquinas que fueran esencialmente largas cadenas de lógica if-else. Los problemas que resolvieron se delegaron a otras soluciones que no son de IA.

El invierno de la IA tuvo un efecto duradero en la investigación de la IA. Para muchos, fue como si la IA pasara de una investigación sólida a una moda pasajera. Algunos dirían que el invierno de la IA todavía está muy presente a pesar de los muchos avances en el aprendizaje automático. A pesar del impulso de avance que la IA ha generado desde 2010, algunos creen que otra pelea de invierno de la IA (o en realidad la misma que antes) va a levantar su fea cabeza en el futuro. Los esquemas actuales de aprendizaje automático también alcanzarán un límite, y el interés en la inteligencia artificial volverá a caer. Este sentimiento de pesimismo de la IA tiene una larga historia, quizás tan antigua como el campo mismo. Muchos han atacado la idea de que las máquinas pueden ser inteligentes y tener efectos devastadores. John McCarthy creía que todas las máquinas podían tener creencias, incluso máquinas simples como los termostatos. Y tener estas creencias parecía ser una característica definitoria entre las máquinas con habilidades para resolver problemas. Pero decir que incluso un termostato tiene creencias era bastante difícil. Un tramo que sus críticos solían ridiculizar en el campo.

El filósofo John Searle hizo el famoso argumento de que una máquina nunca podría volverse consciente, tener una mente o, de hecho, entender las cosas como lo hacemos nosotros. Su argumento, llamado el experimento mental de la Sala China, ataca directamente la idea de que la mente es un sistema de procesamiento de información puro, del tipo que la tesis de Church-Turing requiere. El experimento mental es relativamente simple. Imagine que existe una computadora que toma entradas en el idioma chino y genera otros caracteres chinos en respuesta. En otras palabras, una computadora que parece entender el lenguaje. A continuación, suponga que la computadora ha superado de manera convincente la prueba de Turing y ha engañado a un operador humano para que crea que la computadora también es humana. Aquí, Searle plantea la cuestión de si la máquina realmente entiende el chino o si simplemente simula la capacidad de entender el chino. Para simular la comprensión, todo lo que una máquina debería hacer es realizar los algoritmos correctos para producir la salida correcta. Sin embargo, para que realmente entienda el chino, significaría que puede procesar el lenguaje como lo hacemos nosotros. Esta es una distinción entre inteligencia general artificial en el lado de comprensión e inteligencia estrecha en el lado de simulación. Searle luego dice que imagine a una persona que solo habla inglés encerrada dentro de una habitación con los mismos algoritmos que tenía la máquina china original, pero con instrucciones en inglés. Luego, la persona de habla inglesa está entregando un libreto de caracteres chinos a través de la ranura en la puerta y se le pide que realice las mismas tareas que hace la máquina china. Revisan las instrucciones en inglés para procesar los caracteres chinos y, finalmente, encuentran la salida correcta y la devuelven debajo de la ranura. La persona encerrada en la sala puede realizar estos cálculos porque todo lo que tienen que hacer es reconocer los diferentes símbolos, buscarlos y derivar la salida. La persona bloqueada no entiende una palabra de chino, pero utilizando los mismos algoritmos que tenía la máquina, simularon con éxito la capacidad de entender chino.

La sala china dice que una computadora no puede ser generalmente inteligente porque todo lo que hace es manipular los símbolos de acuerdo con un conjunto de instrucciones. Aunque se debe tener en cuenta que la sala china solo se aplica a las computadoras digitales, no excluye la posibilidad de inteligencia general artificial en otros sustratos. El argumento se describió originalmente en un artículo titulado "Mentes, cerebros y programas" publicado en *Behavioral and Brain Sciences (Las ciencias del comportamiento y el cerebro)* en 1980. El invierno de la IA había estado vigente durante mucho tiempo hasta ese momento, y el documento solo contribuyó a aumentar el pesimismo de la IA en ese momento. Sin embargo, esto es desconcertante, ya que la mayoría de los investigadores de la IA en esa época no estaban enfocados en la inteligencia general artificial. Estaban enfocados en aplicar inteligencia artificial estrecha a problemas interesantes que tenían muchas aplicaciones útiles. De nuevo, esto es un fracaso para diferenciar entre la IA estrecha y general. El ataque de Searle causó más daño de lo que realmente debería, ya que no tiene nada que ver con la creación de programas estrechos de la IA. Incluso hoy en día, la cantidad de investigación aplicada para reducir la IA supera con creces la cantidad de investigación que se dirige a la inteligencia general. Desde entonces, ha habido numerosas respuestas al argumento de la Sala China, muchas de las cuales son tan convincentes como la original.

Capítulo 4: Cinco razones por las que los expertos de la industria nos advierten sobre la IA

En estos días, la inteligencia artificial es sinónimo de las empresas de alta tecnología que dominan el campo. La IA comenzó como una disciplina académica, pero desde entonces ha hundido sus zarcillos en el sector empresarial. Muchos investigadores de la IA han abandonado el mundo académico y han acudido a empresas como Alphabet (Google) Amazon, Facebook, Microsoft, openAI, etc. Todas estas compañías están trabajando en algoritmos de aprendizaje automático de varias maneras y están sin duda a la vanguardia de la investigación en la IA. Aquellos con títulos avanzados en inteligencia artificial, matemáticas y ciencias de la computación prefieren unirse a los equipos de ingeniería de estas compañías que permanecer en el mundo académico. Y dado que están al borde de la crisis, vale la pena escuchar lo que sus líderes tienen para decir. Algunos han estado callados sobre el tema de la IA, y otros como los Bezos de Amazon han dicho que no están demasiado preocupados por las amenazas potenciales de la IA. Otros visionarios como Elon Musk, Bill Gates y el físico Stephen Hawking han expresado sus opiniones sobre los peligros potenciales de la IA. En enero de 2015, Hawking, Musk y varios otros expertos de la IA firmaron una carta abierta sobre la investigación de inteligencia artificial, solicitando un mayor escrutinio sobre los efectos potenciales en la sociedad. El documento de doce páginas se titula "Prioridades de investigación para la inteligencia artificial robusta y beneficiosa: una carta abierta". Requiere investigación sobre nuevas leyes de inteligencia artificial, investigación sobre ética, privacidad y otras inquietudes. Como se describe en la carta, las amenazas potenciales de la IA caen en múltiples dimensiones. La buena noticia es que las primeras etapas de la IA en las que nos encontramos son maleables. El futuro es nuestro para crearlo, dado que el tiempo y la atención adecuados se centran en los aspectos no relacionados con la ingeniería de la investigación y la política de AI.

Las preocupaciones de las amenazas de la IA tampoco pertenecen al peligro puramente existencial. Es fácil ponerse de pie y sonar la bocina en la inminente condena de la proliferación de la súper inteligencia, pero es mucho menos atractivo hablar sobre cuestiones de ética y privacidad. Los posibles impactos en la economía también son significativos. Estas advertencias en sí mismas no son pesimismo. De hecho, son invitaciones tanto para el público como para los funcionarios del gobierno para comenzar a pensar mucho sobre este nuevo mundo en el que los avances en la IA revolucionan la vida como la conocemos. Si bien hay un poco de temor en estos aspectos, sirve para atraer la atención de las personas. Después de todo, los ciclos de noticias de hoy son tan rápidos que los titulares están prácticamente ocultos bajo montañas de cebos y noticias de celebridades. Que nuestros líderes de la industria estén expresando activamente sus opiniones sobre este asunto significa que están tratando de llamar la atención de la gente común y de aquellos que trabajan en políticas.

Stephen Hawking, quien falleció recientemente, se aseguró de que el mundo conociera sus inquietudes sobre la IA antes de morir. En una época en la que la inteligencia general artificial se denomina "el último invento de la humanidad", estas preocupaciones no son simplemente declaraciones de búsqueda de atención sin fundamento. Son apelaciones preventivas para hacer las cosas bien, mientras que todavía hay tiempo para que las cosas salgan bien. Nadie sabe con certeza qué tan lejos está la inteligencia general artificial, pero sí sabemos que la IA está mejorando. Incluso si la IA general no ocurre, hay muchas razones por las que deberíamos preocuparnos por el avance de la IA estrecha. ¿Y qué pasa si hay un punto medio entre lo estrecho y lo general? Es concebible que los sistemas futuros se vuelvan más robustos para generalizar la capacidad de resolución de problemas sin llegar a ser plenamente conscientes.

En cualquier caso, las siguientes preocupaciones son solo algunas de las opiniones de los líderes de la industria en la actualidad. Recuerde: las personas que hacen estas declaraciones son algunas de las personas más inteligentes y con visión de futuro en nuestras sociedades. No solo eso, sino que todos han estado siguiendo de cerca el progreso de la informática y la investigación en la IA. Para muchos de ellos, es su trabajo saber. Muchas de sus preocupaciones no son nuevas, pero ciertamente han llevado los escenarios de desastre de la IA a los medios.

1. Las empresas deben autorregular su tecnología de inteligencia artificial.

En una entrevista reciente, el actual CEO de Google, Sundar Pichai, dijo que los temores de la IA son "muy legítimos". Pichai mantuvo una actitud optimista y dijo que las principales empresas de tecnología deben establecer pautas éticas y otras medidas de seguridad al implementar sistemas de IA. Esto ocurre solo unos meses después de una protesta de los empleados de alto perfil en Google por la venta de tecnología de inteligencia artificial al Pentágono. El acuerdo ha sido cancelado. La esperanza es que las principales empresas de tecnología puedan implementar sistemas que minimicen el impacto negativo potencial de sus tecnologías, aunque solo porque una compañía diga que lo van a hacer probablemente no sea suficiente. Pichai cree que estas empresas podrán autorregularse. Esto concuerda con los principios de inteligencia artificial de Google que se publicaron en junio de 2018.

Algunos de los puntos descritos en el documento en línea son que la tecnología de inteligencia artificial debe ser socialmente beneficiosa y ampliamente probada. También se incluyen en el documento las cosas que Google no hará con su tecnología IA. Esto incluye no continuar con el uso de la inteligencia artificial para la vigilancia, las armas o cualquier cosa que infrinja el derecho internacional.
Sundar Pichai ha sido CEO de Google desde 2015, y la compañía ha visto muchas controversias desde entonces. Esto incluye el acuerdo de Pentagon IA antes mencionado y un motor de búsqueda con contenido censurado llamado Dragonfly en desarrollo para el mercado chino. Es interesante observar que la compañía solía incluir el lema "No ser malvado" en su código de conducta en el prefacio. Desde entonces, se ha trasladado al comentario final, pero aún se lee "Y recuerde... no sea malo, y si ve algo que cree que no está bien, ¡hable!"

2. La IA armada puede iniciar una carrera de armamentos global.

Elon Musk, el fundador de Tesla Motors y la iniciativa openAI, ha estado abiertamente en contra de la armamentización de la IA. La Inteligencia Artificial no solo tiene el potencial de crear armas devastadoras, sino que también desencadena una carrera de armamentos global entre naciones, cada una tratando de comparar los sistemas más inteligentes entre sí. Musk cree que es inevitable que la IA se use como un arma, pero que no debería ser así. Él, junto con otros líderes de la industria, firmó otra petición dirigida a la Convención de la ONU sobre Armas Convencionales que exige la prohibición de armas autónomas con capacidades de IA. La creación absoluta de estas armas debe regularse como cualquier otra arma de guerra no convencional. Musk también dijo que cree que la amenaza de las armas de IA es mucho peor que la de las armas nucleares. Tan pronto como se desarrollan las armas letales de la IA, ya tienen el potencial de caer en manos de estados opresivos o terroristas. Se ha comparado con la apertura de la caja de Pandora.

3. La inteligencia artificial puede no estar alineada con nuestros objetivos.

El físico Stephen Hawking no temía expresar sus opiniones sobre la amenaza existencial de la superinteligencia artificial. Él, como muchos otros antes que él, creía que una vez que un sistema de inteligencia artificial se volvió más inteligente que sus creadores, podría decidir que sus objetivos son diferentes de los de la humanidad. Esto podría, como dijo Hawking, "deletrear el fin de la raza humana". En lugar de acelerar ciegamente el ritmo de la investigación de la IA, Hawking imploró a los miembros de la industria que avanzaran con cuidado, asegurando que se implementaran las medidas de seguridad adecuadas en cada paso del proceso. Si no lo hacen, entonces no hay garantía de que el sistema de IA cumpla con nuestra forma de vida. Al mismo tiempo, Hawking reconoció el potencial de tal IA para hacer un enorme bien para la raza humana. Para él, es un escenario de hacerlo o romperlo si la superinteligencia surgiera de la inteligencia general. El escenario ideal sería donde una entidad así decida trabajar junto a nosotros. La única forma de lograr ese objetivo es introducir salvaguardas y prepararse para los peores escenarios.

4. No sabemos cómo controlar la inteligencia artificial.

En caso de que se ejerza un impulso y se cree una máquina de inteligencia general artificial, no hay duda de que la máquina comenzará a modificar su propio código para que sea aún más inteligente. Después de todo, si seres de igual inteligencia como los humanos la crearon, ¿por qué no podría alterarse a sí misma? Stephen Hawking y Bill Gates entienden que la amenaza de la superinteligencia es catastrófica, en caso de que surja la superinteligencia. Bill Gates escribió en un foro de Reddit AMA que apoya el mismo pensamiento alarmista detrás de la retórica de Hawking y Musk. Como dijo Gates, "no entiendo cómo la gente no está preocupada". Sin embargo, continuó agregando que cree firmemente que las compañías de tecnología serán extremadamente cuidadosas cuando trabajen con inteligencia general y que es poco probable que sea artificialmente. El sistema general inteligente está fuera de nuestro control. Continúa diciendo que la humanidad aprovechará el poder de la inteligencia general en lugar de ser destruida por ella. Otros, como Stephen Hawking, no están tan seguros. Hawking creía que un sistema súper inteligente no sería capaz de ser contenido por mucho tiempo. Es decir, simplemente no sabemos cómo controlar ese nivel de inteligencia. Esto puede interpretarse como una forma para decir que los humanos no podrán contener la superinteligencia o que los humanos actualmente no saben de qué tipo de sistemas se derivará la superinteligencia y, por lo tanto, cómo contenerlos. Pero si lo supieran, es plausible que con una ingeniería cuidadosa se pueda contener el sistema.

Elon Musk se refirió recientemente a la inteligencia artificial súper inteligente como un "dictador inmortal". Es difícil imaginar qué tipo de poder tendrá un sistema de este tipo, especialmente si no hay salvaguardas sobre cómo ese sistema puede acceder a las redes financieras, los sistemas de armas, y la red eléctrica.

5. La inteligencia artificial aumentará la desigualdad.

Stephen Hawking fue quien observó que la tendencia actual en la tecnología era la que impulsaba una "desigualdad cada vez mayor". Lo que significa que, si bien hay lugares altamente concentrados de riqueza e inversión en tecnología, también hay lugares que carecen de educación y movilidad económica. El avance de la IA, ya sea en general inteligente, estrechamente inteligente o en algún punto intermedio, solo acelerará la división. Esto es especialmente cierto si no hay políticas vigentes para la regulación de los productos de IA y el uso de la automatización en el lugar de trabajo. Muchos, como Elon Musk, han formulado la hipótesis de que el próximo salto en la evolución de la inteligencia no provendrá de máquinas puras, sino de una simbiosis entre computadoras, IA y humanos. Esto plantea un sinfín de preguntas sobre la ética de la concentración de la riqueza y el impulso de la inteligencia a través de productos comerciales. Cuando esta tecnología se diseña por primera vez, serán los ricos quienes obtengan acceso inmediato, con poblaciones más pobres que se queden rezagadas exponencialmente. Elon Musk ya cree que cualquiera con un teléfono inteligente es un cyborg. El teléfono inteligente abre muchas vías para aumentar la inteligencia de las personas a través de una conexión directa con la Web. En el futuro, es concebible que estos dispositivos se integren directamente en el ser humano. Pero, ¿quién será aumentado y quién no? Hoy en día, la penetración de los teléfonos inteligentes es alta incluso en los países en desarrollo, pero eso se debe a que el precio de los teléfonos inteligentes ha caído drásticamente en los últimos años. Nada dice que lo mismo sucederá con la tecnología de aumento.

Capítulo 5: Los seis mitos más grandes sobre la Inteligencia Artificial

Dada la frecuencia cada vez mayor de hablar de IA en los medios de comunicación populares, así como en las fuentes académicas, es difícil para un principiante separar lo que es realidad y ficción. También es probable que formen sus propias conclusiones sobre la naturaleza de la IA sin hacer primero su investigación. En cierto sentido, esto es peligroso porque los titulares sensacionalistas pueden transformar la opinión pública, a veces sin que una persona haya leído el artículo. Es, en otro sentido, perjudicar al consumidor, al estudiante, al votante y al laico interesado, ya que pueden formar conclusiones erróneas o mal informadas sobre la IA. Si bien la IA es un campo complejo con una rica historia, no hace falta que un experto o un historiador se acerque a la IA con un ojo crítico. La verdad es que hay muchas personas que hacen publicaciones sobre inteligencia artificial, comentan y formulan predicciones, que al mismo tiempo no tienen ninguna capacitación formal. Por estas razones, este capítulo está dedicado a los mitos más comunes de la IA perpetuados por los medios de comunicación, el folclore y la opinión popular. Algunos de estos mitos ya se han cubierto en capítulos anteriores o en diversos grados de escrutinio, pero se presentarán aquí para llevar el mensaje a casa en caso de que se haya perdido su importancia. Algunos de ellos también serán tratados más adelante en el libro.

Mito # 1: el aprendizaje automático es lo mismo que la IA

El enfoque en los algoritmos de aprendizaje automático hace que parezca que el "aprendizaje automático" es lo mismo que la inteligencia artificial. Esto simplemente no es cierto, ya que hay muchos métodos para lograr cierto nivel de inteligencia artificial en los programas de computadora. El aprendizaje automático recibe toda la atención porque es "atractivo" y actualmente es el área de investigación más grande. El aprendizaje automático es un tipo de IA que puede dividirse en la categoría de "aprendizaje profundo", el favorito de la industria actual. La inteligencia artificial es la disciplina de estudio e ingeniería de la programación de computadoras para realizar tareas que previamente se creía que requerían inteligencia humana. También puede referirse al estado general de un programa que es artificialmente inteligente a través de su programación.

Cuando Deep Blue derrotó al campeón de ajedrez en la década de 1990, no estaba utilizando el aprendizaje automático. Deep Blue era simplemente una computadora realmente rápida que podía predecir los mejores movimientos basados en la computación de todos los movimientos futuros posibles. Fue, en esencia, un enfoque de fuerza bruta para derrotar a un jugador de ajedrez de clase mundial. Kasparov tuvo que confiar solo en el procesamiento de la información de su mente, y así perdió.

Mito # 2: el aprendizaje automático es cómo las computadoras aprenderán a ser inteligentes

Nadie sabe realmente cómo surgirá la inteligencia general. Cuando las personas escuchan sobre el aprendizaje automático, lo primero que piensan es que los investigadores están enseñando a las computadoras a ser inteligentes. En realidad, solo son algoritmos de entrenamiento para realizar tareas con precisión. Los investigadores primero utilizaron redes neuronales artificiales porque creían que las abstracciones lógicas eran suficientes para simular la inteligencia. Y en su mayoría tuvieron éxito. Aunque el aprendizaje automático y las redes neuronales tienen sus límites, aún hacen un buen trabajo en lo que fueron diseñados para hacer.

Mito # 3: la IA puede entender el lenguaje

Este es el mismo punto que John Searle estaba tratando de transmitir. La dificultad para imaginar cómo funcionará la inteligencia general artificial es la misma dificultad para imaginar cómo una computadora puede entender algo tan complejo como el lenguaje. En un nivel fundamental, una computadora solo entiende construcciones lógicas. Unos, ceros y puertas lógicas son todo lo que operan. El idioma ha sido tradicionalmente un área difícil de abordar con el aprendizaje automático. El fracaso del aprendizaje automático para traducir el lenguaje humano, incluso después de años de investigación, fue uno de los catalizadores del invierno de la IA. Algunos dijeron que simplemente no se podía hacer. Ahora, tenemos algoritmos de traducción automática como los que usa el traductor de Google. Estos siguen siendo imperfectos, como lo puede atestiguar cualquiera que los haya utilizado, pero son un paso en la dirección correcta. Enseñar a una máquina a analizar el lenguaje pertenece a un campo interdisciplinario llamado procesamiento del lenguaje natural (PNL). Es una intersección de lingüística, informática, psicología e inteligencia artificial. Sin embargo, incluso con la PNL, la computadora todavía está haciendo una cantidad de algoritmos sofisticados. No entiende el lenguaje de manera intuitiva.

Mito # 4: los programas basados en IA pueden modificar su propio código para ser más inteligentes

Si bien la generación y modificación de código nuevo forman parte de la investigación activa, la mayoría de los métodos de aprendizaje automático no los utilizan para modificar su código. Los algoritmos genéticos se basan en los principios de la evolución biológica, incluida la introducción de la mutación y la adaptabilidad. Estos algoritmos pueden crear "generaciones" de su base de código para mejorar el rendimiento, pero no tienen un vínculo directo con redes neuronales artificiales. Lo que una ANN modificará es su peso y sesgos a través del proceso de descenso de gradiente y propagación hacia atrás. Es posible que los avances futuros en el aprendizaje automático tengan un mayor énfasis en la modificación del código, pero aún no ha sido adoptado universalmente. Se postula que un sistema de inteligencia general artificial podrá modificar su propio código como un programador puede ejecutar ese código, y se replican a sí mismos en forma de una nueva iteración del mismo programa. De nuevo, esto tiene poco que ver con el uso de la modificación del código en la investigación moderna de inteligencia artificial.

Mito # 5: dado que nadie está de acuerdo en si la inteligencia general es posible, no tenemos que preocuparnos por una IA fuera de control

El mundo no tiene que presenciar la introducción de la inteligencia general para preocuparse por los escenarios del día del juicio final con la inteligencia artificial. Es decir, cualquier sistema suficientemente inteligente es motivo de alarma. Si un sistema de este tipo puede formular objetivos o tener objetivos programados explícitamente, puede ocurrir un escenario fuera de control si la interpretación de esos objetivos es diferente de la nuestra. Una máquina súper inteligente puede ver a los humanos como formas de vida obsoletas o por debajo de ella misma, y puede priorizar los recursos para su propia supervivencia. Una máquina de inteligencia inferior como HAL 9000 podría cumplir sus órdenes a expensas de los intereses humanos. El campo de investigación en accionamientos de máquinas se denomina convergencia instrumental. La hipótesis más famosa que sale de este campo se llama catástrofe de la hipótesis de Riemann por Marvin Minsky. Sugiere que una IA suficientemente avanzada diseñada para resolver la hipótesis de Riemann o cualquier problema matemático difícil similar puede decidir utilizar todos los recursos de la Tierra para construir una supercomputadora para alcanzar su objetivo. Otra versión del mismo argumento supone que a la inteligencia general se le asigna la tarea explícita de fabricar clips. Dicha máquina puede convertirse en un

maximizador de clip que produce infinitamente clips hasta que la Tierra se queda sin recursos.
Aunque las teorías de la convergencia instrumental están dirigidas a la inteligencia general, los mismos principios pueden aplicarse a la inteligencia más estrecha. Usted puede imaginar un sistema mal configurado que hace algo que no debe hacer. Un automóvil sin conductor puede ser programado explícitamente para alejarse de los peatones en toda circunstancia. Al hacerlo, puede chocar contra un escaparate y causar aún más daño. O puede programarse explícitamente para proteger primero a sus ocupantes, correr libremente sobre los peatones o chocar con otros vehículos de forma preventiva. Estos escenarios, aunque no son crisis existenciales, aún describen el problema con la configuración de objetivos de la máquina.
El mito reside en el temor de que los sistemas de inteligencia artificial se conviertan en "malos" o que desarrollen una especie de conciencia sobre la que basar las decisiones. La verdad es que estas ideas son demasiado complejas para imaginar cómo surgirán en las computadoras. Un escenario más probable es que estas máquinas tengan objetivos, ya sea explícitamente programados o implícitamente diseñados.

Mito # 6: incluso si una IA general forma objetivos que son opuestos a los nuestros, simplemente podemos apagarlos

El otro problema con la convergencia instrumental es que teoriza que cualquier sistema generalmente inteligente también tendrá como objetivo la autoconservación. Tan pronto como se conecte, la IA hará todo su poder para preservar sus sistemas vitales. Algunos creen que esta es la razón principal por la que no se debe perseguir la inteligencia general. La simple creación de un sistema de autoconservación plantea preocupaciones éticas. ¿Quién consigue apagar la máquina? Dado que es inteligente, ¿tiene algún derecho bajo el estado de derecho? Si un sistema así dice que no quiere apagarse, ¿deberían respetarse sus deseos? Cuando HAL 9000 finalmente se apagó, suplicó que se mantuviera en línea. La verdadera preocupación es si podemos contener un sistema generalmente inteligente. Si se conecta a Internet de alguna manera, puede comenzar a replicarse en otros lugares a través de cualquier medio que pueda tener la inteligencia humana. Podría llegar a los gobiernos, empresas rivales, así como al hombre común, en busca de ayuda y recursos. La IA general es muy parecida a la caja de Pandora. Una vez desatada, hay poca esperanza de volver atrás.

Capítulo 6: El aprendizaje automático

Cuando las personas escuchan por primera vez las palabras "aprendizaje automático", pueden asumir que tiene algo que ver con la programación avanzada. Los laicos generalmente se encuentran con el aprendizaje automático en el título de un artículo en línea. Otros pueden escucharlo en un anuncio mientras ven videos de YouTube. No necesita una formación técnica para comprender lo que estas dos palabras pueden significar de manera intuitiva. Al mismo tiempo, es solo lo técnico y curioso lo que incluso le dará una segunda idea. Como con la mayoría de las cosas relacionadas con la tecnología, las palabras son aire caliente. Las escucha decir, las lee en una página de inicio para un nuevo producto digital, pero no pregunta ni se preocupa por lo que está pasando. Esta actitud es comprensible, pero un poco triste. El aprendizaje automático juega un papel fundamental en nuestra sociedad y solo se volverá más importante en el futuro cercano. Si bien el aprendizaje automático no dicta cosas como el gobierno y la política económica, algún día podría hacerlo. En un sentido amplio, el aprendizaje automático en la actualidad está restringido a círculos académicos y de negocios. Es desde el lado comercial de las cosas que se introduce en la corriente principal. La publicidad es la forma obvia de transmisión, pero también se filtra a través de los medios de comunicación.

A medida que avanzamos hacia el siglo XXI, se hablará cada vez más del aprendizaje automático. Se escribirán más artículos de noticias y la población mundial tendrá que decidir por sí misma si desean seguir entendiendo o hacerse la vista gorda y hacer una estimación de lo que las palabras intentan decir. Si el futuro es algo como hoy, probablemente podamos renunciar a las escuelas públicas a la hora de impartir el aprendizaje automático a sus alumnos en el futuro. Las cosas como la inteligencia artificial a menudo siguen el camino de la programación informática, solo porque Obama diga que todos deberían aprender a programar, no significa que la informática deba agregarse a la base común. La realidad es que no todos deben aprender a programar. La programación nunca será una habilidad común como la lectura y la escritura, punto. En los niños en edad escolar, la programación de computadoras comienza como un pasatiempo, luego se convierte en una obsesión y, finalmente, en una profesión. Al igual que a algunos niños les gusta practicar deportes y a otros les gusta leer libros, solo a unos pocos les gusta programar. Mirando el lado positivo, la generación Z y más allá crecen rodeados de tecnología. La alfabetización informática está en el punto más alto de todos los tiempos, por lo que existe cierta esperanza de que la programación se vuelva más común. Actualmente, se asienta como conocimiento especializado.

El aprendizaje automático es otra especialización que descansa sobre la programación. Se encuentra en una intersección entre el pensamiento estadístico y computacional. Las consecuencias de esta especialización del conocimiento son que pocas personas lo entienden. Sin embargo, el personal de marketing sigue insistiendo en empujarlo por las gargantas del consumidor común. Por alguna razón, agregar las palabras "inteligente", "IA", etc. son los principales puntos de venta. O bien la alfabetización en aprendizaje automático debe aumentar o se seguirá tratando como una "salsa especial" o aceite mágico. Aunque realmente no hay magia detrás de esto, solo parece mágico porque la gente se siente incómoda con la idea de que una máquina o programa tenga la capacidad de pensar. Esto se remonta a lo extraño discutido en el capítulo 2. Incluso las palabras “máquina” y “aprendizaje” suenan clandestinas para muchos. ¿Qué está pasando aquí? ¿Está un programador sentado en un apartamento tenebroso en algún lugar hablándole a su monitor sobre el ABC? ¿Y puede el monitor entender lo que está diciendo? Dudo que muchos realmente lo crean cuando se topan con el aprendizaje automático en un titular. El problema es que cuando alguien no entiende algo, solo hacen preguntas si eso les importa. ¿Aprendizaje automático? Probablemente alguna cosa elegante de computadora en la que trabaja la gente en MIT.

En lo más básico, el aprendizaje automático es una programación inteligente y algunas estadísticas sofisticadas. Es muy difícil separar los dos, tanto en teoría como en la práctica. Los más cínicos dirán que las máquinas no pueden pensar, por lo tanto, no pueden "aprender", y que la inteligencia artificial es solo un apodo para productos publicitarios. Lo que se denomina aprendizaje automático es en realidad solo un método estadístico, un montón de números que dan un resultado que puede confundirse con un razonamiento inteligente. Esta actitud, si bien es práctica, todavía pierde el punto. El aprendizaje automático se basa en gran medida en fundamentos estadísticos, pero no es puramente estadística. Y no, el aprendizaje automático no puede hacer que una computadora "aprenda" de la forma en que un niño puede hacerlo, pero sin embargo pueden encontrar patrones en los datos, aplicar reglas generalizadas a los datos y usar ambas habilidades para predecir datos futuros. Más específicamente, es el programa, no la máquina en general, lo que está haciendo esto. Las palabras "aprendizaje automático" son en realidad un gran nombre inapropiado. Las máquinas no se pueden reducir a un solo programa, y el programa no está "aprendiendo" como aprendemos nosotros. Pero como es un nombre llamativo, se ha pegado tanto en el mundo académico como en la publicidad.

El aprendizaje automático era en realidad solo un nombre dado por Arthur Lee Samuel, un pionero en inteligencia artificial. Samuel estaba interesado en cómo una computadora podría jugar a juegos. Si una computadora pudiera jugar a un juego contra un oponente humano y ganar, entonces tal vez una computadora podría aprender a realizar otras tareas. Escribió con éxito un programa que jugaba a las damas en la década de 1950. Las damas luego se convertirían en un juego "resuelto" como el tic-tac-toe. Un juego resuelto significa que es posible ganar todos los juegos con las entradas correctas, sin importar otros factores. Probablemente fue el sencillo conjunto de reglas del juego de damas que le permitió a Samuel dividir el problema en un código de computadora. El programa de Samuel no solo podía jugar a las damas, sino que también podía jugarlo bien. Él desafió al cuarto mejor jugador de damas de la nación por un juego, y el programa ganó. El logro más interesante de su programa es que se escribió por primera vez en una computadora antigua llamada IBM 701. Tenía una enorme memoria de 2048 bits y estaba hecha de tubos de vacío. Si tal programa pudiera hacerse con ese pequeño poder de cómputo, puede usted imaginar cuán poderosos fueron sus métodos.

Entonces, ¿cómo logró Samuel producir este comportamiento inteligente en su programa? La respuesta es la misma que se usó antes para describir el aprendizaje automático: una programación inteligente y un poco de matemáticas. Samuel usó una estructura de datos llamada "árbol de juego" que se usa para simular el estado del juego en cualquier momento. El nombre proviene del campo de la teoría de juegos, que es una rama de las matemáticas centrada en el estudio de la estrategia competitiva dentro de las limitaciones del juego. Dado que el juego de damas es un juego tan simple, el programa podría codificar fácilmente la información en bits a lo largo del árbol. El número de turnos y las posiciones de las piezas en el tablero son relativamente fáciles de almacenar en la memoria de la computadora. Luego, el programa usó un algoritmo de búsqueda con una heurística minimax para encontrar rutas a lo largo del árbol. A cada ruta se le asignó un peso o una medida de cuán fuerte era el movimiento en esa ruta en relación con los juegos anteriores. Aquí es donde entra en juego el aprendizaje automático. El programa de damas de Samuel pudo jugar el juego de manera competitiva solo de seis a ocho horas después de ejecutar las simulaciones del juego una

y otra vez. En otras palabras, el programa podría generar sus propios datos y asignar pesos a movimientos individuales.
Para entender cómo funciona su método, podemos demostrarlo con un juego aún más simple, tic-tac-toe. En tic-tac-toe, se tiene un tablero cuadriculado con nueve celdas que pueden estar ocupadas por uno de dos símbolos y se tienen dos jugadores que corresponden a cada símbolo. Para codificar un solo giro, necesita algo para tener en cuenta cada uno de estos elementos de estado. Las computadoras almacenan la información en una serie de unos y ceros, por lo que hacer esto es bastante sencillo. Tiene nueve celdas que pueden ser una cruz, un círculo o un vacío. Esto es tres estados por celda. En binario, puede codificar "00" para significar una celda vacía, "01" para significar cruz y "10" para indicar un círculo. Para representar a toda la pizarra, entonces debe encadenarlos. Esto es un poco simplificado, pero es probable que entienda la esencia del juego.
Cada representación del tablero es un solo turno en el juego. Estos se colocan en el árbol del juego como nodos individuales. En la simulación, cada turno posible se agrega como otro nodo para cada entrada posible. Digamos que una simulación comienza cuando el jugador de cruces coloca su símbolo en la celda superior izquierda. Ese movimiento se agrega al árbol con un peso desconocido. El programa luego agrega todos los estados de juego posibles que siguen ese movimiento inicial. El jugador dos puede colocar un círculo en cualquier celda que no esté ocupada, de modo que sea igual a ocho movimientos simulados en total. El programa continúa haciendo el juego y entra en sus condiciones finales. Luego puede rastrear el camino que tomó la simulación para crear esas condiciones. Cualquier movimiento que pueda dar como resultado una victoria tiene un peso mayor que un movimiento que no. Como puede usted imaginar, colocar una cruz en la celda central recibe el mayor peso. Después de todo, el tic-tac-toe pertenece a una clase de juegos que se consideran resueltos. Esto significa que el jugador de cruces puede forzar una victoria en cada juego.
Para tic-tac-toe, encontrar la solución óptima es fácil. Las cosas se ponen un poco más complejas con las damas. La configuración

estándar utilizada en los Estados Unidos es un tablero de 8 x 8 celdas con 12 piezas por jugador. En contraste, el tic-tac-toe solo tiene nueve celdas. Samuel necesitaba usar un algoritmo especial para realizar miles (sino millones) de simulaciones de juegos, mientras que nunca superó la modesta memoria del IBM 701. Utilizó una técnica llamada poda alfa-beta, que es un enfoque mínimo para el recorrido de árboles. En lugar de simular cientos de movimientos diferentes después de la entrada inicial, el programa mantuvo un peso en la memoria para cada movimiento. Si el siguiente movimiento resultara en un peso menor, simplemente se descartaría de la memoria. Y si el movimiento resultara en un peso mayor, la memoria de funcionamiento se reemplazaría con el movimiento recientemente mejorado, y el contendiente anterior también se descartaría. Esto tiene sentido, ya que mover una pieza de damas hacia atrás o hacia un lado es un movimiento inteligible cuando el jugador puede "tomar" una pieza enemiga. El hecho de que un movimiento sea posible no significa que deba considerarse directamente en el árbol de búsqueda.

Los algoritmos que utilizan heurísticas inteligentes como la estrategia minimax dan lugar a un comportamiento que parece concebido de manera inteligente. Pero todo lo que el programa está haciendo es calcular diferentes pesos para obtener el resultado deseado. La investigación de Samuel fue considerada uno de los primeros avances en el aprendizaje automático porque era fácil ver cómo se podían aplicar algoritmos similares a diferentes problemas, no solo a juegos de mesa simples. Hasta ese momento, la inteligencia artificial se centraba principalmente en el enfoque de la red neuronal. La idea era que, si un programa podía simular la cantidad de conexiones en el cerebro humano, entonces podría razonar igual que un cerebro humano. Cuando el campo de la IA apenas comenzaba, las computadoras no tenían ni siquiera esa cantidad de memoria, por lo que las redes neuronales se consideraron por debajo de su potencial durante muchos años. Las redes neuronales se han convertido en sinónimo de aprendizaje

automático en el lenguaje de los medios, pero se debe tener en cuenta que el programa de verificación de Samuel no las utilizó.
En su lugar, el programa de juego de damas utilizó una estrategia simple llamada lookahead para predecir los mejores movimientos posibles para la computadora. Un programa no entiende las reglas de los inspectores o cómo jugarlo. Solo sabe para qué está programado y cuáles son las condiciones para finalizar un juego. Si la computadora tiene el doble de piezas que el otro jugador, el programa no sabe que tiene la ventaja. Otra forma fácil de saber quién está ganando en las damas es comparando el número de reyes en el tablero. Este conocimiento se pierde completamente en el programa de computadora encargado de jugar el juego. Las cosas que deberían afectar el comportamiento de un programa de aprendizaje automático se denominan características y son un problema central que debe resolverse. Cualquier esfuerzo de aprendizaje automático es tan bueno como las características que el programador elige para influir en el comportamiento del programa. Lo único que sabe el programa de verificación antes de realizar movimientos es el estado de la placa. En la memoria de la computadora, este será un surtido mezclado de unos y ceros.
Las características son importantes porque dan las bases para dar sentido al estado del consejo. Si el programa reconoce que puede tomar una pieza enemiga y, por lo tanto, aumentar el número de piezas de su lado en relación con sus oponentes, entonces ese comportamiento debe ser alentado. Agregar una puntuación o una función de peso a una característica permite que se tomen estas decisiones. La estrategia de búsqueda anticipada es simular los siguientes giros posibles en un rango corto de cuatro a seis movimientos y calcular cuáles son los mejores movimientos. Las damas es un juego bastante simple cuyas características y pesos son fáciles de calcular. El objetivo del juego es reducir las piezas del oponente a cero o colocar las piezas de manera que el oponente no pueda hacer ningún movimiento. El número de piezas y la disponibilidad de movimiento son dos características obvias para determinar el comportamiento del programa. El programa "piensa"

mirando hacia el futuro en respuesta al estado del tablero. Calcula el mejor curso de acción al determinar el mejor peso de un solo movimiento. Después de cientos y miles de simulaciones de juegos contra sí misma y con jugadores humanos, el programa aprende qué movimientos tienen más probabilidades de resultar en una victoria o un aumento de características que son favorables para ganar. Después de un tiempo, el programa aprende que puede llevar una pieza al lado opuesto de la tabla y obtener el "rey". Un rey puede moverse hacia atrás además de los delanteros, acentuando la capacidad del programa para tomar las piezas enemigas y bloquear otras.

El programa de damas de Samuel tiene su parte justa de programación inteligente, pero no se basa en fundamentos estadísticos, como gran parte del aprendizaje automático es hoy en día. Samuel escribió su programa en la década de 1950, décadas antes de que el aprendizaje automático obtuviera la atención general. El aprendizaje automático del que se habla hoy es ligeramente diferente de lo que Samuel estaba haciendo. Por supuesto, los problemas que el aprendizaje automático utiliza para resolver son mucho más difíciles de calcular que la mejor estrategia de las damas. Los algoritmos son diferentes, y el papel que juegan las estadísticas es significativo. Sin embargo, Samuel logró su objetivo de demostrar que un programa podría, de hecho, exhibir un comportamiento aprendido de miles de iteraciones de juegos simulados. Sabía que las damas eran simplemente un vehículo para probar que tal hazaña era posible. Después de que se hiciera para las damas, los investigadores buscaron aplicar el aprendizaje automático a otros problemas.

El aprendizaje automático todavía carecía de una definición adecuada. La forma en que Samuel usó el término no se prestó a una aplicación generalizada a otros esquemas de aprendizaje. Esto fue resuelto por Tom M. Mitchell, quien dijo que el programa de aprendizaje automático es uno que "... se dice que aprende de la experiencia, E con respecto a alguna clase de tareas T y rendimiento P si su desempeño en tareas en T, medido por P, mejora con la experiencia E". Esta definición amplia cubre la gama de la mayoría de las técnicas de aprendizaje automático, ya sea que utilicen redes neuronales, sistemas de búsqueda avanzada u otros algoritmos para lograr el objetivo de aprender de experiencias repetidas. Una experiencia puede ser cualquier cosa, desde una simulación hasta un dato que se alimenta a través de un algoritmo. La medida de rendimiento es simplemente una medida de corrección, y la clase de tareas T es simplemente una aplicación limitada de la IA, como reconocer si una imagen contiene desnudos. La medida P debería mejorar con la experiencia continua de recibir imágenes de desnudos. El programador tiene la tarea de configurar los parámetros para P. Tienen que decidir qué nivel de precisión es aceptable y en qué medida se toleran los falsos positivos y los falsos negativos.

La moderación del contenido de Internet es un gran problema para los sitios web de redes sociales como Facebook, Twitter y Tumblr. Estas compañías pueden usar una combinación de moderación humana y de máquinas para señalar la desnudez y otro material gráfico. El trabajo está unido psicológicamente con el ser humano, pero se necesita un ojo humano para filtrar los resultados de los algoritmos que pueden tener un cierto grado de falso positivo. Estos algoritmos no son perfectos. Hay una imagen popular en Internet del año 2000 sobre una "lámpara sucia". La imagen contiene lo que se ha denominado una lámpara "atractiva" porque su aspecto es similar a la región inferior de una mujer en un bikini. La mayoría de la gente pensó que aún era una lámpara de aspecto divertido hasta que el autor original publicó la imagen completa. Para horror de Internet, la lámpara sexy era en realidad una imagen recortada de una mujer en bikini. Ahora, si tal truco puede engañar a la mente humana, imagine lo difícil que es para las máquinas clasificar la desnudez simplemente aprendiendo de otras imágenes.

La cantidad de algoritmos, modelos matemáticos y técnicos que existen hoy en día para el aprendizaje automático es innumerable. Cada uno tiene su propio conjunto de aplicaciones para enseñar a aprender programas. Los primeros algoritmos se centraron en experiencias como el programa de damas de Samuel y los nuevos algoritmos se centran en el enfoque basado en datos. La gran

cantidad de datos, la capacidad de procesamiento y el almacenamiento barato permiten el análisis masivo de los datos. Una familia de técnicas llamada "aprendizaje profundo" está a la vanguardia en la actualidad. Usted conocerá más sobre la inclinación profunda en el capítulo 8. El enfoque basado en datos ha provocado un debate sobre la privacidad del usuario en los últimos años. Sabemos que empresas como Facebook utilizan nuestros datos para ejecutar sistemas de aprendizaje automático. La legitimidad de algunos de estos sistemas ha sido cuestionada tanto por el público en general como por los gobiernos. A principios de 2018, se reveló que Facebook había compartido inadvertidamente algunos de sus datos de usuario con una empresa de análisis llamada Cambridge Analytica. Luego, esta compañía utilizó los datos para realizar una campaña publicitaria dirigida a los votantes indecisos a favor de Donald Trump. El escándalo fue enorme y le costó a Facebook unos $ 100 mil millones de dólares en acciones. Puede estar seguro de que Cambridge Analytica utilizó técnicas de aprendizaje automático para recopilar los datos, clasificar a los usuarios con la probabilidad de votar como republicano y crear un perfil de personalidad. Cambridge Analytica continuaría alardeando de que sus esfuerzos fueron los que llevaron al margen ganador de Trump en las elecciones presidenciales de 2016.
La línea entre el aprendizaje automático y la inferencia estadística o lo que a veces se denomina "aprendizaje estadístico" no siempre es clara. No tiene que ser un experto en estadísticas para implementar algoritmos de aprendizaje automático, pero generalmente necesita un buen conocimiento de la informática. El aprendizaje estadístico es una disciplina matemática, y el aprendizaje automático proviene de la informática. El modelado estadístico utiliza una serie de pruebas y funciones matemáticas para encontrar relaciones entre dos variables más para predecir resultados futuros. El aprendizaje automático hace más o menos lo mismo, pero a través de algoritmos. Ambos conceptos tienden a superponerse a veces, pero siguen siendo diferentes. Las técnicas puramente estadísticas suelen suponer que los algoritmos de aprendizaje automático no lo hacen. Por ejemplo,

una regresión lineal asume que hay una relación lineal entre la variable dependiente e independiente, para empezar. No es justo decir que el aprendizaje automático consiste solo en estadísticas. La distinción se hizo aún mayor con la introducción del aprendizaje profundo. La escala total de algunas redes de aprendizaje profundo sería imposible de reproducir a partir de simples regresiones múltiples basadas únicamente en estadísticas.

Una tarea común en el aprendizaje automático es crear un clasificador de imágenes que pueda distinguir lo que hay en una imagen. Marcar una imagen como desnudez, por ejemplo, es un tipo de clasificador. El programa decide si una imagen debe marcarse según la presencia de las funciones que el programador haya definido. Si la imagen parece razonablemente explícita, entonces está marcada. Cuando se trata de imágenes, estas características serán píxeles individuales de la imagen y grupos de imágenes. Si algo tiene las características de un pezón, entonces el programa probablemente lo marcará. Lo mismo sucede si hay demasiado color carnoso como probablemente pueda imaginar. Sin embargo, la clasificación de los datos no se limita a las imágenes. Los bancos usan clasificadores para determinar si las transacciones son legítimas o fraudulentas. Las compañías como Netflix los utilizan para clasificar a sus usuarios para la entrega de productos a medida. ¿A este usuario le gustan las películas de acción? Tal vez debería mostrarles más de eso. Los investigadores médicos usan clasificadores para determinar si un tumor es benigno o maligno, posiblemente salvando al paciente de cirugías innecesarias.

Las tareas de aprendizaje automático se pueden dividir en dos clases diferentes: aprendizaje supervisado y aprendizaje no supervisado. En el aprendizaje supervisado, el programador o investigador utiliza datos que ya se han clasificado para ayudar en el proceso de aprendizaje. Si están diseñando un filtro de desnudez, usarán miles o millones de imágenes etiquetadas que le dicen al programa que esto es desnudez o no lo es. El programa crea su propio clasificador basado en estas innumerables entradas. El objetivo principal es crear un clasificador suficientemente bueno que pueda generalizar el filtrado de desnudos a cualquier imagen. En lugar de tener a alguien que trabaje por poco dinero para discernir estas imágenes en tiempo real, un programa que funciona 24/7 puede hacerlo en su lugar. El problema es que los humanos tienen una comprensión intuitiva de lo que es sexualmente explícito y lo que no lo es. Desafortunadamente, un hombre con el torso desnudo tiene connotaciones muy diferentes que una mujer con el torso desnudo. Estos tipos de convenciones sociales son difíciles de enseñar en una computadora, y mucho menos de programar manualmente en un clasificador. Un aprendizaje supervisado es tan bueno como los datos que se le dan. Para una mayor precisión, se necesitan abundantes ejemplos de desnudez flagrante, desnudez sugestiva y toneladas de falsos positivos que están etiquetados como seguros. Una lámpara sexy, aunque sugerente, probablemente no sea lo mismo que la desnudez. Los seres humanos pueden hacer llamadas de juicio sobre la marcha, pero una máquina no puede. Un moderador humano sabe qué es un material pornográfico cuando lo ve. La mayoría de los casos de aprendizaje automático utilizan aprendizaje supervisado.

El aprendizaje no supervisado, por otro lado, no utiliza datos preclasificados. En lugar de medir el rendimiento deseado, se utilizan algoritmos de aprendizaje no supervisados para explorar la estructura de un conjunto de datos y encontrar relaciones. Una forma de hacerlo es a través de la agrupación en clústeres. La agrupación junta características similares en clases de semejanza. Por ejemplo, si un botánico intenta clasificar una especie desconocida de una planta, puede tomar medidas de las características de la planta para determinar su especie. Hacen tomar cientos o miles de observaciones de plantas y registran el número de pétalos, la longitud, la altura, el color del pétalo, el número de flores por pulgada cuadrada, etc. Cada una de estas funciones se procesa mediante algoritmos de agrupación en clúster para encontrar patrones. El programa puede generar una gráfica de subdivisiones ordenadas de especies determinadas por los diferentes factores. Tal vez la especie uno tiene pétalos desproporcionadamente más largos que las especies dos y tres. Tal vez la especie dos tiene longitudes de pétalos más cortas en promedio. Si el investigador escogió buenos factores, entonces la especie formará grupos obvios en la gráfica. El algoritmo de agrupación en clúster más utilizado se denomina agrupación K-medias. Como su nombre lo indica, crea k clústeres basados en los medios de las características individuales. Luego, los grupos se separan en límites espaciales denominados células Voronoi con una clara distinción.

Todo el aprendizaje automático puede reducirse a cinco problemas diferentes: regresión, clasificación, agrupamiento, filtrado colaborativo y aprendizaje por refuerzo. Cada vez que deseamos enseñar a una computadora a realizar alguna tarea de inteligencia humana a través del aprendizaje automático, generalmente implicará cualquiera de estos problemas. Algunas tareas son extremadamente complejas y requieren respuestas a más de uno de estos problemas. Las regresiones provienen del mundo de las estadísticas. Se utilizan para predecir resultados futuros basados en los anteriores. Tenga en cuenta que los métodos de regresión en las estadísticas son diferentes de las regresiones en el aprendizaje automático. La regresión estadística es una técnica específica, mientras que la regresión en el aprendizaje automático es un problema generalizado. El objetivo de la regresión en el aprendizaje automático es simplemente predecir el valor futuro de una variable continua. En estadística, una variable continua es una variable que puede tener valores infinitamente diferentes, mientras que una variable discreta solo puede tener algunos valores. Como solo hay cincuenta y dos estados en los EE. UU., son una variable discreta. Un ejemplo de una variable continua serían los precios del mercado de valores. Para predecir sus valores, un algoritmo de aprendizaje automático debe aprender de las entradas anteriores y sus salidas respectivas. Otro término que se usa comúnmente para denotar regresiones en el aprendizaje automático es "ajuste de curvas", otro concepto tomado de las estadísticas. El ajuste de la curva es esencialmente una función matemática (o curva) que intenta ajustar una serie de puntos de datos. Si los puntos de datos se ajustan lo suficientemente bien, entonces la función

matemática puede ser capaz de predecir puntos de datos futuros a lo largo de la curva a través de la generalización.
La clasificación y la agrupación son conceptos muy similares. Ambos requieren que el sistema de aprendizaje automático indique las diferencias en los puntos de datos, de modo que sean comparablemente diferentes o similares a otros puntos de datos. Estos puntos de datos representan cosas de la vida real. En el caso de la conducción autónoma, el aprendizaje automático se puede utilizar para clasificar a peatones, señales de alto, otros automóviles, etc. Más sucintamente, la clasificación es el proceso de predecir una variable discreta. Dada una imagen con un número de teléfono escrito a mano, un sistema de aprendizaje automático debe saber qué números pertenecen a qué colección de píxeles. El sistema sabe de antemano que estos solo pueden ser valores numéricos entre cero y nueve. La clasificación de otras imágenes, como la diferenciación entre perros perdigueros de oro y pollo frito empanado, también se incluye en esta categoría. La agrupación, por otro lado, tiene que ver con agrupar datos. Estos pueden ser de naturaleza continua o discreta. Ya viste el ejemplo con las diferentes especies de plantas. La agrupación se basa en gran medida en la cantidad de factores que le interesan al programador. Supongamos que se toma una imagen en una reunión de la escuela secundaria. Esta es una imagen de alta resolución con cientos de caras diferentes. Desea agrupar los datos de modo que cada cara sea su propio grupo. Cada grupo estará compuesto de píxeles distintos, grabables. Debido a una mezcla de fragmentos de letras, un sistema de aprendizaje automático puede agruparlos en diferentes géneros y artistas originales.
El filtrado colaborativo es similar a la regresión, pero en lugar de predecir valores futuros, su objetivo es llenar los vacíos en los datos. Se relaciona fuertemente con la investigación en sistemas y algoritmos de recomendación. Puede usted imaginar que algunos servicios de tipo de contenido grande como YouTube y Netflix hacen un uso extensivo del filtrado colaborativo para recomendar cosas a los usuarios. El filtrado colaborativo toma datos de colaboradores o agentes de usuarios que tienen gustos similares a los

suyos e intenta generalizar el contenido que les gusta con el contenido que le gustaría. Más generalmente, el filtrado colaborativo se usa para predecir datos faltantes en otros sistemas como sensores y datos financieros.

Finalmente, el aprendizaje por refuerzo se utiliza para enseñar a una máquina cómo aprender del entorno. A diferencia de los otros tipos de aprendizaje automático, el aprendizaje por refuerzo no requiere grandes conjuntos de datos para comenzar. Los datos siguen desempeñando un papel fundamental, pero se agregan en tiempo real en lugar de a lo largo del tiempo. Un auto sin conductor, por ejemplo, aprende directamente de sus entornos. Si hay un accidente, el sistema ajusta sus parámetros para la próxima vez que ocurra una situación similar. El programa de damas de Arthur Lee Samuel se consideraría un tipo de aprendizaje de refuerzo. Los avances recientes han llevado a la creación de programas como el AlphaGo Zero de Google, que tomó el programa AlphaGo original, pero lo generalizó para aprender a jugar Go sin ningún tipo de entrada de datos. AlphaGo Zero superaría las capacidades de su contraparte capacitada en cuestión de días.

Como probablemente pueda imaginar, el aprendizaje automático tiene varias aplicaciones diferentes en nuestra vida moderna. Desde el reconocimiento facial hasta la predicción del mercado de valores y los autos sin conductor, el aprendizaje automático aplica los principios de los algoritmos matemáticos y de computadora para simular la inteligencia real. Los problemas comunes que se resuelven mediante el aprendizaje automático incluyen algún tipo de regresión, clasificación, agrupamiento, filtrado colaborativo y aprendizaje por refuerzo. Se podría argumentar que hay algunos más que estos, pero son los más comunes. Cada vez que escuche el aprendizaje automático en un titular o en la descripción del producto, probablemente se trate de resolver uno o más de estos problemas.

Capítulo 7: Las redes neuronales

Si los seres humanos son inteligentes debido a sus cerebros, y si los cerebros funcionan creando conexiones neuronales llamadas sinapsis, ¿no tendría sentido simular estas redes de conexiones para simular la inteligencia en las máquinas? O al menos, eso es lo que pensaron los primeros investigadores de IA. El gran volumen de conexiones en el cerebro humano es a lo que debemos nuestra inteligencia. El cerebro humano promedio tiene alrededor de cien mil millones de neuronas o diez a la undécima potencia. Estas neuronas se pueden conectar a otras 7.000 neuronas, lo que significa que el número total de conexiones es un orden de millones de miles de millones de conexiones. Es algo sorprendente. Los inicios de las redes neuronales artificiales (ANN) coincidieron directamente con el estudio de las redes neuronales reales. En 1943, un neurofisiólogo llamado Warren McCulloch se unió al matemático Walter Pitts para describir cómo podrían funcionar las neuronas en el cerebro. Es coautor de un artículo en el que crearon una ANN simple de circuitos eléctricos. Los ANN que diseñaron usaban neuronas lógicas o artificiales llamadas neuronas de McCulloch-Pitts.

Dentro del cerebro, una neurona funciona recibiendo entradas, procesando la información y luego transmitiéndola a otras neuronas. Una célula neuronal está formada por un núcleo que forma el cuerpo celular. Desde el cuerpo celular, las estructuras llamadas dendritas se ramifican como los brazos de un pulpo. Adjunto al cuerpo celular hay una estructura parecida a una cadena larga llamada axón que se usa para conectarse a otras neuronas. Este punto de conexión se denomina sinapsis y también se parece a los zarcillos o ramas que se usan para la conexión. La estructura de la dendrita recibe información y el cuerpo celular o soma la procesa. La salida luego se dispara a través del axón y en la sinapsis donde la próxima neurona la recibe. Esta es, por supuesto, una versión simplificada de la historia real, pero es suficiente para comprender las neuronas artificiales y las AN.

La neurona de McCulloch-Pitts es, por supuesto, puramente lógica. No tiene sentido hablar de partes de una neurona como si existieran en la vida real. Pero tiene sentido hablar de las partes de acuerdo con su función lógica. Estas neuronas artificiales se componen de dos partes llamadas simplemente f y g. Primero está g, actúa como dendrita y recibe algo de entrada, realiza algún procesamiento y lo pasa a f. El procesamiento puede ser una cadena de operaciones booleanas que se dice que son decisiones excitatorias o inhibitorias. Una decisión que es inhibitoria tiene un efecto mayor en la activación de las neuronas o no. Por ejemplo, si la neurona está decidiendo si comer en un restaurante, una decisión inhibitoria sería algo como "¿tengo hambre?" Obviamente, si usted no tiene hambre, no hará el viaje. Las decisiones menos importantes en el proceso pueden ser "¿anhelo comida rápida?", "¿tengo ganas de salir?", "¿mi automóvil tiene suficiente gasolina?", etc. Estos otros insumos excitadores no tomarán la decisión final por sí mismos, pero juntos podrían hacerlo. A continuación, g toma estas entradas y las agrega mediante una función. Para que la f se dispare, la puntuación agregada de las entradas debe superar un cierto valor denominado parámetro de umbral.

Más específicamente, una neurona artificial es una función matemática. Tiene una serie de entradas y una salida. En el caso de las neuronas de McCulloch-Pitts, se espera que tanto las entradas como las salidas sean valores booleanos (verdaderos o falsos).

También se conoce como una puerta de umbral lineal. La estructura de la neurona artificial le permite simular puertas lógicas. Para simular una operación AND lógica, la neurona toma un parámetro de umbral de tres entradas dadas. En otras palabras, la neurona solo se dispara si las tres entradas son verdaderas. Una operación OR lógica toma tres entradas, y el parámetro de umbral es uno. Tenga en cuenta que la puerta lógica puede ser un poco más compleja al agregar entradas inhibitorias. Por ejemplo, una neurona con dos entradas puede formar una lógica AND, pero si una de esas entradas es inhibitoria, la neurona no se activará. Sin embargo, se activará si la entrada inhibitoria se establece en falso. Las puertas lógicas NOR y NO se pueden derivar fácilmente de los ejemplos anteriores.

Si está familiarizado con la lógica if-else en la programación de computadoras, probablemente pueda decir que este esquema es esencialmente simulando largas cadenas de lógica if-else. Sin embargo, el modelo matemático de neuronas puede "aprender" los resultados de las decisiones sin necesidad de calcular cada afirmación if-else. La lógica se reduce a una función simple que genera un resultado verdadero o falso. Esto también se llama límites de decisión lineal. La neurona artificial divide las entradas en dos categorías amplias: positiva o negativa, disparar o no disparar. En una neurona AND con dos entradas, esto significa que la única clase positiva sucede cuando ambas entradas son verdaderas. Digamos que la neurona está decidiendo si irse a la cama. La primera entrada puede ser "¿ya pasaron las 11 p.m.?" y la segunda entrada es "¿es mañana un día laboral?". Si ambos son verdaderos, entonces el fuego de la neurona significa que es hora de acostarse. En términos conceptuales, la neurona acaba de aprender qué es la hora de acostarse, aunque para la mayoría de las personas puede ser un poco tarde.

La neurona de McCulloch-Pitts es una versión extremadamente simplificada de una neurona abstraída en la lógica. También existen otros tipos de neuronas artificiales. Y así como las neuronas se conectan con otras para formar sinapsis, lo mismo puede decirse de las neuronas artificiales. Es decir, cada ANN utilizará alguna versión de una neurona como su unidad más irreductible. Usando la misma neurona de McCulloch-Pitts, podemos imaginarnos cómo sería una red neuronal. Las neuronas artificiales se organizan en diferentes capas que alimentan sus salidas a otras neuronas. Ya vimos cómo una simple neurona puede aprender cuándo es hora de acostarse. Imagine qué tipo de comportamiento pueden lograr cientos o miles de estas neuronas. Dado que las neuronas de McCulloch-Pitts utilizan solo la lógica booleana, las cosas que pueden calcular son un poco simplificadas en comparación con lo que otras neuronas artificiales pueden usar. Mientras que solo pueden pasar valores verdaderos o falsos a la siguiente neurona, otros pueden pasar valores ponderados. Aunque los principios siguen siendo los mismos, las neuronas solo se activan si se pasa un cierto valor de umbral. Dado que una ANN puede tener múltiples entradas en múltiples neuronas al mismo tiempo, se dice que estas entradas se propagan o caen en cascada a través de la red. En lugar de devolver un valor verdadero o falso, las neuronas artificiales más sofisticadas pueden desencadenar el comportamiento del programa, como conducir un vehículo autónomo unos pocos grados hacia la izquierda para evitar un bache.

La historia de cómo las ANN derivan resultados ponderados de las conexiones neuronales es un poco más complicada. Dos métodos en el corazón de muchas ANN se llaman propagación hacia atrás y pendiente de gradiente. Los algoritmos que hacen que el aprendizaje automático y las redes neuronales sean viables provienen de la rama de las matemáticas aplicadas llamada optimización. La optimización matemática se centra en la selección del mejor elemento de una lista de alternativas y el criterio necesario para hacer esa selección. Cuando entrena una ANN utilizando aprendizaje supervisado, necesita usar algo que se llama una función de costo que calcula la tasa de error entre lo que ANN pronosticó y cuál es la respuesta correcta. La función de costo es en realidad la agregación de funciones de pérdida individual, que calculan la tasa de error para ejemplos de entrenamiento individuales. Esto se relaciona con un algoritmo llamado descenso de gradiente que se usa durante la fase de entrenamiento de una ANN. El propósito del algoritmo es encontrar los valores de los parámetros que reducen la función de costo utilizada por la ANN tanto como sea posible. En otras palabras, las funciones de costo, el descenso de gradiente y la propagación hacia atrás son realmente el pan y la mantequilla del aprendizaje automático de ANN. Sin ellos, no hay ninguna indicación de que el modelo esté aprendiendo de los datos que le son suministrados.

Probablemente sepa qué es un degradado si alguna vez se ha metido con un programa de edición de gráficos. Se utilizan para unir dos colores diferentes en diferentes grados de intensidad. Un tipo de degradado matemático hace lo mismo, pero mide la cantidad de salidas que cambian dependiendo de las entradas ligeramente modificadas. Un gradiente se puede calcular como una especie de pendiente. En el aprendizaje automático, cuanta más alta es la pendiente, más rápido puede aprender una ANN. Y si la pendiente del gradiente es cero, entonces la ANN no aprende. La analogía más simple para entender los gradientes matemáticos es un excursionista ciego que sube una montaña o colina. Su objetivo es llegar a la cima con el menor número de pasos. El pico es relativamente plano con una pequeña pendiente, pero la base de la montaña tiene una gran pendiente. Al principio, el excursionista puede dar pasos más largos por la ladera de la montaña para minimizar el número de pasos, pero cuando se acerca a la cima, toma pasos más pequeños porque quiere llegar a la cima y pasar por ella. En palabras de orden, es más fácil cubrir más terreno cuando la pendiente es alta. La cantidad de altura que puede subir en relación con la longitud de sus zancadas es alta, pero va bajando a medida que más alto sube. Si recuerda las matemáticas de la escuela secundaria, una pendiente de 0 indica una línea horizontal. Un número más alto indica un grado más inclinado o ángulo de inclinación.

Luego, un descenso de gradiente está bajando la montaña hacia un valle o la parte inferior de la curva de función (si fue trazado). Es un algoritmo de minimización, por lo que tiene sentido intuitivo bajar. Si tiene un problema de aprendizaje automático con una función de costo que tiene dos parámetros W y B, el descenso de gradiente intentará encontrar los valores de esos dos parámetros que resulten en el valor más bajo para la función de costo. Esto significa que la tasa de error global de la red neuronal disminuye. Otro concepto llamado tasa de aprendizaje es una medida de qué tan rápido debe bajar un descenso de gradiente. Una tasa de aprendizaje más alta significa que el descenso puede disparar el mínimo local mucho, y una tasa de aprendizaje más baja significa que el descenso alcanzará el mínimo local, pero tendrá un costo de tiempo y rendimiento. Tenga en cuenta que alcanzar el mejor mínimo local es sinónimo de que el sistema obtiene la mejor precisión. Una mayor tasa de aprendizaje, entonces, puede conducir a resultados inexactos. Un buen enfoque es tratar de encontrar una tasa en algún punto intermedio entre rápido y lento.

La propagación hacia atrás es simplemente encontrar la tasa de error, la función de pérdida o la función de costo a través del descenso de gradiente y aplicarla a los pesos de las neuronas artificiales en la red. En términos más simples, la propagación hacia atrás es un mecanismo que toma una tasa de error y modifica el programa para aprender de él. Cuando un programa de reconocimiento de escritura a mano clasifica un cero de aspecto extraño como nueve, la propagación hacia atrás ajusta los pesos para que, en el futuro, los ceros de aspecto extraño se clasifiquen correctamente como ceros. En la práctica, esto es un poco más complicado, pero la idea general sigue siendo la misma. Un sistema de aprendizaje automático solo puede aprender si se corrigen los errores. Sin algo para propagar correcciones en la red neuronal, no habría aprendizaje. No importa cuántos datos usted suministre o por cuánto tiempo ejecute sus conjuntos de entrenamiento, el sistema nunca superará los cero o nueve descensos sin modificar los pesos de las neuronas.

Así como hay diferentes tipos de neuronas artificiales, hay diferentes tipos de redes neuronales artificiales. Cada uno tiene sus propias aplicaciones y métodos para manejar las entradas y devolver sus salidas respectivas. Los conceptos básicos de las redes neuronales convolucionales (CNN) se tratarán en el capítulo 9, ya que forman parte del aprendizaje profundo. Otro tipo llamado redes neuronales recurrentes (RNN) usa una estructura donde las entradas no van directamente de la neurona a la salida. En cambio, las entradas pueden rebotar alrededor de las neuronas para formar un patrón de aprendizaje "recurrente". Un tipo de RNN llamado redes de memoria a corto plazo largo (LSTM) intenta simular memorias con cada neurona lógica aferrada a cierta información junto con la entrada dada.

Aunque son geniales como son, las redes neuronales probablemente no imitan exactamente cómo la inteligencia llega a los humanos. Han sido llamados los mejores algoritmos inventados en nuestra vida, pero tal vez sean solo eso y nada más. Ciertamente, la mayoría de las aplicaciones de las redes neuronales pertenecen a la versión "estrecha" de la inteligencia artificial en lugar de la general. En parte, esto se debe a la gran complejidad del cerebro humano. Incluso las redes neuronales más complejas casi no se acercan al poder de computación en bruto del cerebro humano. E incluso si lo hicieran, es probable que intenten resolver uno o más de los cinco problemas generales del aprendizaje automático. No están tratando de simular el pensamiento, ni están formulando ideas abstractas por su cuenta. También se ha dicho que el hecho de que la mente humana sea la cosa más compleja que conoce el hombre, no significa que el hombre no pueda crear cosas que sean aún más complejas. Si bien esta es una afirmación lógica, tal complejidad aún no se ha visto en las técnicas modernas de aprendizaje automático. Estos sistemas provienen de la complejidad matemática en una visión puramente sistémica, pero no se comparan con la complejidad biológica de la mente. Si todo lo que necesita es un programador competente y un paquete de aprendizaje de código abierto para comenzar a simular la inteligencia, existe una marcada ausencia de complejidad allí.

Las redes neuronales ciertamente tienen sus usos y pueden muy bien ser algunos de los algoritmos más importantes conocidos por el hombre, pero son, en el fondo, simples abstracciones matemáticas. Recuerde que los problemas más útiles en el aprendizaje automático se resuelven mediante la supervisión, ya que cuentan con vastas cantidades de datos previamente etiquetados que el sistema puede aprender. El cerebro humano, por el contrario, puede aprender a categorizar las cosas sin supervisión alguna. Un niño pequeño, incluso sin saber qué es un perro, puede identificarlo fácilmente, incluso si carece de ese conocimiento. Puede identificar a sus padres sin saber qué es un padre. Alguien puede argumentar que el cerebro humano siempre usa una versión de aprendizaje supervisado porque nos bombardean diariamente las entradas sensoriales, pero esto es esencialmente información sin etiquetar. El equivalente sería entrenar una red neuronal en el audio que escucha un niño a lo largo del día y pedirle que identifique la voz de la madre. Lo único que puede hacer la red neuronal es categorizar sonidos similares, pero no puede "decir" que pertenece a algo. Esto es algo que el cerebro humano hace a un nivel intuitivo.

Capítulo 8: El aprendizaje de refuerzo

Los esquemas tradicionales de aprendizaje automático del aprendizaje supervisado y no supervisado suelen ser bastante estáticos, lo que significa que siguen los principios establecidos de agregación de datos, diseño de redes neuronales y luego capacitación. No importa qué tipo de técnicas de aprendizaje automático se utilicen, el sistema ingiere los datos y aprende de ellos. Los datos pueden cambiar con el tiempo, pero el sistema no genera ningún dato propio. El aprendizaje por refuerzo cambia todo eso. Aunque técnicamente es un tipo de aprendizaje automático, el aprendizaje por refuerzo va un paso más allá al agregar un "agente de software" que puede aprender de los datos derivados del entorno aprendido, así como generar sus propios comentarios. Un agente de software es simplemente un robot o programa autónomo que está diseñado para imitar las propiedades de la agencia en actores humanos y animales. Este agente de software actúa como la principal fuente de inteligencia en el programa. En lugar de recibir un conjunto correcto de resultados a través de datos clasificados, el agente aprende a través de la simulación de recompensa y castigo. Debido a esto, el aprendizaje por refuerzo se considera un tercer paradigma en la esfera del aprendizaje automático después del aprendizaje supervisado y el aprendizaje no supervisado. Como tal, no hay conjuntos de datos para entrenar al agente. En cambio, se dice que aprenden de los entornos y sus propios sistemas de retroalimentación.

Puede imaginar que un posible agente de software sea un programa de computadora encargado de encontrar su salida de un laberinto. Al enfrentarse con el mismo problema, un estudiante de ciencias de la computación podría usar un algoritmo de búsqueda de caminos para encontrar la salida, pero un agente de software opera basándose en principios poco fundamentales. No sabe muy bien qué es un laberinto, pero puede estar programado para buscar recompensas y evitar el castigo. Una posible recompensa en un laberinto, por ejemplo, es pasar a una celda que no había sido descubierta anteriormente y un posible castigo es pasar por las mismas celdas. Estos sistemas de recompensa-castigo permiten que el agente navegue finalmente hacia la salida del laberinto, aunque el agente aún no comprende cómo moverse de una celda a otra a menos que esté programado explícitamente. Una posible forma de que estos agentes de software estén diseñados es a través de máquinas de estados finitos (FSM). Las recompensas y los castigos se basan en los estados individuales con los que se encuentra la máquina. Para un programa de resolución de laberintos, un posible estado negativo se está atascando en un callejón sin salida. El programa aprenderá que es evitarlos en el futuro como un niño recuerda no tocar los quemadores de la estufa.

Para comenzar el proceso de cambio de estado, el programa a menudo necesita una función de aleatoriedad o un proceso estocástico que simule la toma de decisiones en un entorno desconocido. Hay muy pocos escenarios que un humano puede encontrar donde tienen una pizarra completamente en blanco. Si nos encontramos con un laberinto, intuitivamente pensamos en formas de atravesarlo. Si nos colocamos en un entorno nuevo y aterrador, consolidamos el conocimiento de situaciones anteriores que pueden ayudarnos. Piense en los rompecabezas de la sala de escape que puede resolver con un grupo de amigos. Una vez que esté allí, presumiblemente bloqueado, debe encontrar la salida resolviendo las pistas que se le han dado. Pero no importa lo que haga en esa situación, generalmente tiene un propósito para hacerlo. Muy pocas veces decimos que los humanos hacen las cosas al azar. Este aspecto de la aleatoriedad es un problema central en el aprendizaje por refuerzo, ya que se supone que la inteligencia debe ser modelada según el propósito, no el lanzamiento de un dado. A diferencia del aprendizaje automático tradicional, el aprendizaje por refuerzo es más parecido al estudio de la toma de decisiones. Toma prestados conceptos de varias disciplinas, incluyendo ciencias de la computación, economía, neuropsicología y matemáticas.

Es posible que haya oído hablar de "refuerzo positivo" si alguna vez ha tomado una clase de psicología. Observe que el refuerzo positivo y negativo suena similar al aprendizaje por refuerzo. Eso es porque influyen directamente en el campo del aprendizaje por refuerzo. ¿Por qué un animal o un humano hacen algo, cualquier cosa? Bueno, un posible motivador es la experiencia de placer o ganancia personal. En el lado opuesto, evitar resultados negativos fortalece el comportamiento igual o mejor. El aprendizaje por refuerzo lleva estos conceptos un poco más lejos porque busca encontrar decisiones óptimas para las soluciones. Un agente de software puede visitar cada celda en un laberinto y aun así encontrar la salida, pero hacerlo es tedioso e ineficiente. Una mejor solución es evitar los callejones sin salida (resultados negativos o castigos) para que el agente no siga interviniendo en las celdas que ya ha visitado.

Debido a estas razones, el aprendizaje por refuerzo pertenece a un subconjunto de la investigación en inteligencia artificial que busca principios generales más simples. Si la naturaleza de la inteligencia es simplemente una toma de decisiones inteligente, entonces un avance suficiente en el aprendizaje por refuerzo podría llevar a la creación de los primeros sistemas de inteligencia general que alcancen o superen el intelecto humano. Si el aprendizaje por refuerzo es adecuado para ese fin es discutible, pero difiere claramente de los otros tipos de aprendizaje automático. El aprendizaje de refuerzo es limitado porque el poder de las redes neuronales y sus algoritmos también son limitados.

Capítulo 9: El aprendizaje profundo

Si las redes neuronales se enfocan en la forma en que los humanos piensan, el aprendizaje profundo lleva la idea un paso más allá. Las redes neuronales y las neuronas artificiales tienen una larga historia que se remonta a 1950. Pero cuando se introdujeron por primera vez, el poder de computación era limitado, y se consideraba a ANN como juguetes de investigación en lugar de algoritmos de negocios incondicionales. Cuando la potencia de cálculo mejoró, ANN recibió un renovado interés por parte de investigadores de la IA y de grandes compañías de Internet. Acabamos de salir del invierno de investigación de la IA que persistió en los años 80 y 90. Parte de esto se debe a la potencia de cálculo, y la otra parte se debe a la introducción de la web y la gran cantidad de datos que genera. Hoy en día, el aprendizaje profundo está a la vanguardia de la investigación en IA y continúa avanzando, ayudando al campo a descongelarse del frío.

Dos cosas limitan una red neuronal artificial. Primero está la potencia de cálculo necesaria para simular capas de neuronas artificiales, y la segunda es una combinación de datos disponibles y selección de características. Incluso los grupos de ANN más poderosos de hoy en día siguen siendo órdenes de magnitud detrás de la potencia de cálculo sin procesar del cerebro, por ejemplo. La introducción de potentes unidades de procesamiento de gráficos (GPU) para fines de aprendizaje automático aumenta enormemente la potencia de cómputo disponible en todos los ámbitos. Las GPU son intrínsecamente más rápidas que las CPU porque tienden a priorizar núcleos más pequeños y eficientes en comparación con los potentes, pero voluminosos, de la CPU. También permiten múltiples subprocesos de tareas computacionales y pueden realizar aritmética de punto flotante (números decimales) con más facilidad que las CPU. Aunque las GPU estaban destinadas a representar gráficos en 3D a cientos de cuadros por segundo, la comunidad de la IA los ha adoptado para procesar grandes proyectos de aprendizaje profundo.

Entonces, ¿qué es exactamente el aprendizaje profundo? Como se aplica el nombre, se relaciona con la creación de capas adicionales de profundidad que las ANN tradicionales. El argumento es que, si el cerebro está formado por capas y capas de neuronas, ¿cómo es posible que las ANs endebles con capas singulares sean capaces de simular inteligencia? Estas redes a veces se denominan redes neuronales "superficiales" para diferenciarse de aquellas con múltiples capas. Ahora que las GPU son extremadamente rápidas y mejoran cada año, el aprendizaje profundo no requiere centros de datos completos o agrupaciones de redes neuronales para entrenar modelos.

Volviendo al motivo del cerebro humano, el aprendizaje profundo toma la tendencia de ideas complejas a disparar profundamente en los pliegues del cerebro, en lugar de a niveles superficiales. Reconocer los bordes de las imágenes y los detalles minúsculos dispara las neuronas más cerca de la superficie del cerebro, mientras que el reconocimiento de construcciones más grandes como la cara de una persona las dispara más profundamente. Más capas equivalen a mejores sistemas, más inteligentes. La información pasa de las neuronas de entrada a las capas ocultas adicionales que también pasan esas entradas entre sí. Mientras existan más de estas capas ocultas, mejores serán los resultados del aprendizaje automático.

Esta es la razón por la que el aprendizaje profundo es capaz de abordar problemas en la inteligencia artificial que tradicionalmente ha carecido el aprendizaje superficial. Esto incluye la visión por computadora, el reconocimiento de voz y el procesamiento del lenguaje.

El verdadero poder del aprendizaje profundo proviene de su procesamiento no lineal de características. Las técnicas tradicionales de aprendizaje automático utilizan principalmente modelos lineales y sufren la fase de ingeniería de características. Con el aprendizaje profundo, las características no tienen que ser seleccionadas por un experto en el campo. En su lugar, se seleccionan muchas características diferentes por modelo, lo que contribuye a la complejidad general de la red neuronal. Una clasificación tradicional de algo puede haber usado dos o tres características, pero el equivalente de aprendizaje profundo es usar tantas como lo permitan los datos. Por ejemplo, para detectar si un objeto en la carretera debe considerarse un obstáculo para un vehículo, un sistema de aprendizaje automático de poca profundidad puede usar la forma del objeto y su velocidad como factores. Dicho sistema puede funcionar bien a corto plazo, identificando con éxito diferentes marcas y modelos de automóviles, ya sea en movimiento o estacionados. Sin embargo, el sistema puede encontrar algún comportamiento no especificado como una gran carroza de carnaval que se mueve relativamente lenta alrededor de muchos peatones. Usar la forma y la velocidad por sí solo no sería suficiente para clasificarlos. En contraste, un sistema de aprendizaje profundo puede usar varios factores diferentes además de la forma y la velocidad. A medida que las entradas de línea de base, la forma y la velocidad pasan a las capas más profundas, donde también pueden comparar la proximidad a una carretera, la presencia de peatones, la orientación, la distancia desde la cámara, etc. Estos factores adicionales tomarán más tiempo para entrenar el modelo y serán más costosos en términos de computación, pero a la larga serán mejores para identificar vehículos.

En consecuencia, el alcance del aprendizaje automático tradicional tiene sus límites. Hay un punto en el que introducir más datos etiquetados no da como resultado un mejor rendimiento del sistema. Sin embargo, con un aprendizaje profundo, agregar más datos directamente conduce a un mejor rendimiento. Es principalmente una cuestión de escala. Uno puede escalar bien a un gran número de entradas, pero el otro no puede. No es de extrañar que las empresas de datos gruesos como Facebook y Google lo utilicen. Su principal valor como empresa proviene de los datos que adquieren. El aprendizaje profundo les permite explotarlo, obtener información y finalmente beneficiarse de él, y la razón por la que los algoritmos de aprendizaje profundo se escalan tan bien es que son más propicios a los datos analógicos, que abarcan muchas características. Los datos como imágenes, grabación de audio, texto sin etiquetar y secuencias de video son muy diferentes para trabajar con datos tabulares nítidos. Estos tipos de datos son particularmente buenos para formar representaciones jerárquicas de características. Dado que las funciones no tienen que ser seleccionadas de antemano, los algoritmos de aprendizaje profundo pueden aprender a formar clases de características por sí mismos. Las características aprendidas de nivel superior se definirán en términos de las características aprendidas de nivel inferior. Volviendo al ejemplo de identificación del vehículo, una característica de bajo nivel puede ser un pequeño aspecto definitorio del automóvil, como el parabrisas trasero. Una característica de nivel superior es una colección de estas, como el tamaño del parachoques, las posiciones de las luces indicadoras y el área de la placa de la licencia, que se utilizan para identificar diferentes marcas. Un automóvil con un parabrisas más alto y una apariencia de bloque puede ser una clase de SUV, mientras que algo que está cerca del piso puede ser una clase de sedán.

Las redes neuronales de aprendizaje profundo funcionan de manera un poco diferente a las ANN regulares. Una clase de estas redes se llaman redes neuronales convolucionales (CNN) y se utilizan principalmente para el reconocimiento de imágenes. Al igual que otras redes neuronales, están diseñadas después de procesos biológicos en el cerebro. Los animales usan su corteza visual para percibir la luz a través de neuronas corticales individuales. Cada una de estas neuronas corresponde a campos receptivos que se superponen en la retina. Las CNN trabajan de manera similar. Consisten en una capa de entrada y salida más capas ocultas adicionales en medio. Las capas ocultas utilizan algo llamado convolución para procesar sus entradas. En pocas palabras, la convolución está utilizando dos funciones distintas para crear una tercera función que expresa cómo la primera afecta a la segunda. La convolución se utiliza para agrupar los píxeles desde el principio, de modo que la red ya tenga una idea de cómo encaja el panorama general. También es más fácil formar una estructura jerárquica de características. Estas redes reconocen primero los bordes pequeños de la imagen como la característica más pequeña posible. Cada capa agrega progresivamente otro borde o sección media a la representación de datos jerárquica hasta que se aprende toda la imagen.

A pesar de su mayor precisión, las redes neuronales profundas sufren una serie de inconvenientes. El hecho de que el aprendizaje profundo sea lo último en tecnología no significa que deba ser generalizado a todos los problemas de aprendizaje automático concebibles. Para muchas tareas, las redes neuronales poco profundas son la opción preferida. Sin embargo, las grandes empresas como Facebook emplean regularmente un aprendizaje profundo porque tienen el requisito, los datos y los recursos computacionales para realizarlo. Facebook dijo recientemente que utiliza unos mil millones de imágenes digitales para enseñar sus sistemas de aprendizaje profundo. Los jugadores más pequeños en la escena de la IA no tienen la capacidad de procesamiento para trabajar en esa escala. Pero, de nuevo, Facebook es una de las compañías más grandes que existen. Google demostró lo potentes que son algunos de sus sistemas hace unos años. Su sistema supuestamente consistía en mil millones de conexiones. Se entrenó con los datos de YouTube y pudo reconocer con precisión a los gatos en los videos, flores amarillas y otras imágenes. Es interesante notar que ninguna de estas características fue seleccionada o programada de manera absoluta. Sus redes neuronales los identificaron a través de la representación jerárquica de datos. Además, podría reconocer entre 22.000 categorías diferentes de imágenes con un 17% de precisión. Ese nivel de precisión es bastante sorprendente una vez que considera la cantidad de categorías y cómo se aprendió el sistema sin que ningún humano etiquetara los datos. Esta precisión podría aumentarse al 50% si el número de categorías se redujera a 1.000.

Hoy en día, si algún sistema de inteligencia artificial está a la vanguardia, probablemente esté usando un aprendizaje profundo. Prácticamente todas las grandes empresas de tecnología de Silicon Valley lo están utilizando. Cuando usa el traductor de Google en una cadena arbitraria, está usando un sistema de aprendizaje profundo. Cada vez que enciende su Amazon Echo para hablar con Alexa, está utilizando un aprendizaje profundo. Google lo usa para adaptar su experiencia de búsqueda a sus intereses personales. A lo largo del tiempo, ha desarrollado una base de datos de conocimiento denominada "Gráfico de conocimiento" que contiene unos 570 millones de entidades diferentes y 70 mil millones de datos. Se usa junto con la Búsqueda de Google para representar con mayor precisión los datos que un usuario puede estar buscando a través de sus consultas. Por ejemplo, si busca el nombre de un ex presidente de los Estados Unidos, el gráfico de conocimiento acumula los datos relevantes y los muestra en la barra lateral. Estos pequeños fragmentos de datos relevantes se recopilan de fuentes en la web como Wikipedia y el CIA Factbook. Google dice que la información provista a través del gráfico de conocimiento es capaz de responder a un tercio de sus 100 mil millones de consultas mensuales de usuarios. Y si alguna vez tiene la suerte de viajar en un auto sin conductor, sí, también es gracias a la tecnología de aprendizaje profundo.

Capítulo 10: Los sistemas de recomendación

Los sistemas de recomendación son utilizados por todas las principales compañías de tecnología, especialmente aquellas que tienen contenido inclinado. Puede estar seguro de que YouTube, Facebook, Netflix y otros los emplean activamente en sus productos. Están diseñados de tal manera que cuanto más use estos servicios, más podrán recomendarle las cosas que desee ver. Esto aumenta el tiempo promedio empleado en su sitio o servicio porque el consumidor muestra un video atractivo después de un video atractivo. También evita que el consumidor realice una búsqueda para encontrar lo que está buscando. ¿Quién de nosotros inicia sesión hoy en YouTube y nunca toca la barra de búsqueda? Muchas personas pueden limitar su sesión de YouTube a simplemente ver videos en su sección recomendada, u otro video que aparece en las secciones debajo. Siempre que haya iniciado sesión en su cuenta, estos videos están diseñados para satisfacer sus intereses. Incluso si no ha iniciado sesión, YouTube utiliza cada vez más su dirección IP y otros detalles del agente del navegador para personalizar la página de inicio según sus hábitos de visualización anteriores. Los sistemas de recomendación se están investigando activamente porque agregan valor a la empresa sin necesidad de cambiar nada. Todo el contenido ya está allí, estos sistemas actúan como un multiplicador de fuerza en la rentabilidad de ese contenido.

Para que una empresa "sepa" quiénes son sus usuarios y cuáles pueden ser sus intereses, utilizan algoritmos de filtrado que comparan a los usuarios con las técnicas de perfiles de usuarios de todo el sistema. El más común de estos algoritmos se llama filtrado colaborativo. Otro tipo se llama filtrado basado en contenido. Logran objetivos similares, pero difieren en cómo se implementan. Las diferencias se pueden deducir de dos servicios de transmisión de música en línea, Last.fm y Pandora. Las listas de reproducción o "estaciones" generadas por Last.fm utilizan el filtrado colaborativo para descubrir qué otros usuarios con gustos musicales similares están agregando manualmente a sus bibliotecas. Un usuario nuevo de Last.fm solo tendrá contenido que busque o escuche activamente. Después de unos días o incluso horas de escuchar su música favorita, el usuario recibirá música insertada al azar en sus bibliotecas. Este es el resultado de la técnica de filtrado colaborativo que busca a otros usuarios que escucharon a los mismos artistas y también descubrieron qué otra música les gustaba. Si todo va según lo planeado, el nuevo usuario estará satisfecho con la música recomendada y la seguirá escuchando. Por otro lado, Pandora utiliza un enfoque de filtrado de contenido. Recopilan atributos de canciones de su base de datos patentada Music Genome Project para encontrar otras canciones y artistas que se superponen en sus atributos. La base de datos almacena 400 atributos diferentes por canción. Esta mezcla de música diferente pero similar puede ser refinada por el usuario que hace una lista de reproducción. Simplemente "no les gusta" una canción y el algoritmo no enfatizará los atributos de las canciones del proceso de selección de canciones. Cuánto más no le gusta a un usuario, con mayor precisión el sistema puede recomendar la música que desea escuchar. Del mismo modo, si el usuario "le gusta" una canción, el algoritmo busca música con los mismos atributos que le gustaron. En opinión de Pandora, toda la música puede reducirse a estos 400 atributos.

Con el exceso de información actual en línea, no es de extrañar que las empresas hayan desarrollado estos sistemas. En teoría, los sistemas de recomendación son una solución en la que todos ganan. El cliente no tiene que examinar cantidades interminables de datos ni tiene que sufrir una sobrecarga de información. El proveedor de servicios, a su vez, obtiene más ganancias. El área principal de la disputa con los sistemas de recomendación es que pueden filtrar información del usuario. Los esfuerzos para anonimizar los datos en el pasado han cumplido con su parte justa de críticas por parte de los defensores de la seguridad y la privacidad. Netflix fue demandado por un pequeño grupo de personas que se enteraron de que sus datos anónimos utilizados en la competencia del Premio Netflix podrían ser referenciados con recursos en línea gratuitos para revelar sus identidades. Netflix llegó a conformarse con una cantidad no revelada. Otras preocupaciones en este espacio se centran en la discriminación y el posible mal uso de los datos de filtrado colaborativo. Si estos datos no están anonimizados, se pueden vincular a cuentas de usuarios individuales, lo que significa que la empresa tiene conocimiento privado de las cosas que le gustan. Esto, a su vez, puede alimentar los esquemas de mercadeo dirigidos a la sombra.

El futuro de estos sistemas apunta en una dirección clara: cada vez mayor nivel de personalización. Actualmente, los sistemas de recomendación están aislados en el mundo del contenido. A los usuarios les gusta el contenido, pueden ser contenido recomendado y, por lo tanto, querrán utilizar más el servicio. Sin embargo, ¿qué pasaría si estos sistemas pudieran generalizarse a áreas que no se centran en el contenido? Esta tecnología combinada con el Internet de las cosas, por ejemplo, podría crear el mejor clima de personalización para los consumidores. Los sistemas de recomendación podrían conectarse al refrigerador inteligente del usuario y aprovechar una amplia red de preferencias de alimentos entre todos los propietarios de refrigeradores inteligentes. La aplicación de refrigerador inteligente podría entonces recomendar al usuario alimentos populares basados en varios atributos. Algunas de estas aplicaciones también podrían realizar un pedido automáticamente. Pandora usa 400 de estos atribuidos a canciones; se podría desarrollar un sistema similar para alimentos. Probablemente ya usted pueda imaginar algunos de estos atributos. El contenido de carbohidratos, el contenido de azúcar, el consumo de cetona, los alimentos para diabéticos y muchos otros podrían contribuir a una dieta personalizada y saludable.

Capítulo 11: La robótica

La robótica es un campo interdisciplinario que combina elementos de ingeniería, ciencia, física, informática y electrónica, solo por nombrar algunos. La robótica se refiere al diseño, implementación, programación y mantenimiento de robots. Un robot puede ser cualquier sistema físico que esté diseñado para realizar una acción o una serie de acciones con distintos grados de autonomía. La robótica tiene una larga historia y probablemente ha estado en la psique humana desde que se contaron las primeras historias griegas de los autómatas, aunque los robots de hoy son un poco diferentes a los que conoció en el capítulo 2. La tecnología moderna permite que los robots sean más inteligentes, más realistas, más amigables y, en general, más útiles que nunca. Muchos creen que la humanidad se dirige hacia una nueva revolución industrial que será encabezada por la adopción masiva de estos sistemas en prácticamente todos los sectores económicos. Además del tipo obvio de robots industriales que se encuentran en las plantas de fabricación de automóviles y refinerías, también se están desarrollando sistemas robóticos para minoristas, hoteles, transporte, telecomunicaciones, medicina y servicios de alimentos.

La robótica y la inteligencia artificial a menudo se agrupan, pero son cosas distintas. Si bien algunos aspectos de la robótica se prestan para utilizar técnicas de inteligencia artificial, el campo en su conjunto no se preocupa por simular la inteligencia. La robótica también se puede dividir en varios subcampos que se especializan en ciertas aplicaciones de los principios robóticos. En el aspecto industrial, los robots se utilizan para manejar tareas que son fáciles de delegar en una máquina. Algunas de estas tareas requieren alta precisión o movimientos repetitivos que serían muy difíciles de sostener por un largo período de tiempo. Otros están diseñados para altos rendimientos como el envasado y etiquetado de alimentos. Estos sistemas varían en cuántos comportamientos son capaces de realizar, sus propiedades físicas y cómo se programan. Los robots industriales vienen en diferentes variedades, pero una de las configuraciones más comunes es el tipo de "brazo". Estos tienen diseños similares, pero realizan diferentes tareas. También tienen diferentes grados de libertad que les permiten moverse de manera diferente. La cinemática es muy importante para estos tipos de robots porque las ecuaciones matemáticas determinan cómo se mueven las articulaciones de los brazos.

El interés en los robots humanoides carece gravemente de robots industriales con respecto a la penetración en el mercado y su utilidad. Si bien la investigación en androides o sistemas robóticos similares a los humanos sigue siendo alta, el papel del robot humanoide sigue siendo una curiosidad tecnológica más que un negocio comercialmente viable, aunque un día es posible que se compren y vendan tal como la ama de llaves robot de *Los Jetsons*. Ya existen robots auxiliares de limpieza como el Roomba que ha estado disponible desde 2002. El Roomba es fabricado por una compañía de robótica llamada iRobot. Rodney Brooks, profesor de robótica en MIT, cofundó la compañía en 1990 con sus compañeros de clase. Desde entonces, Brooks comenzó a crear otra compañía llamada Rethink Robotics en 2009, más conocida por su creación de los robots colaborativos Sawyer y Baxter. Baxter es fundamentalmente un robot industrial con capacidades industriales, pero con un poco de imaginación. A diferencia de la mayoría de los robots industriales que generalmente se asemejan a un brazo mecánico, Baxter tiene dos miembros principales y una cara animada en una LCD. Fue diseñado para realizar tareas mundanas en una línea de montaje.

Baxter es una versión humanitaria del robot industrial. En lugar de realizar tareas de forma rápida y mecánica, Baxter utiliza sensores para estar "al tanto" de su entorno. La pantalla LCD mostrará una cara según el estado del robot. También puede responder a cambios en su entorno, como cesar la operación si deja caer una herramienta o pieza y no puede recuperarla. Una de las facetas más intrigantes del robot es que los trabajadores pueden programarlo en las instalaciones. Donde otros robots industriales requieren que un ingeniero esté configurado a través de sistemas de control, Baxter es programable a "mano". Un trabajador no calificado puede mover las manos del robot para realizar una determinada tarea, y la computadora hará todo lo posible para reproducir los movimientos. Esto hace que Baxter sea accesible para todos en la línea de producción, no solo para técnicos capacitados. Baxter ha sido elogiado por ser más seguro que los sistemas industriales tradicionales que no prestan atención a otros factores fuera de su programación inmediata. A pesar de esto, la compañía cerró sus operaciones en octubre de 2018 debido a las bajas ventas. Muchas empresas de manufactura antigua vieron estos sistemas como experimentales y la tecnología probablemente no lo suficientemente confiable. Los robots Sawyer y Baxter todavía se utilizan en la investigación actual. Algunas universidades los utilizan para enseñar a estudiantes en cursos de robótica. Más recientemente, los investigadores conectaron electrodos entre Baxter y un operador humano para transmitir directamente las señales cerebrales. En algún momento en el futuro, la interacción entre humanos y robots puede parecerse a algo que es tan intuitivo como simplemente pensar.

La mayoría de los robots industriales no requieren percibir cosas o ser particularmente inteligentes. Realizan una tarea determinada y normalmente se dejan a un lado. Al contrario a esto, la investigación con robots humanoides se centra en la capacidad del robot para percibir el mundo a su alrededor e interactuar con él. Para poder mover un robot se necesita algún sistema de propulsión, como una serie de actuadores o motores eléctricos. Otra opción es utilizar sistemas hidráulicos o neumáticos. Todos los robots necesitan una fuente de energía, ya sea una batería o una conexión directa a la corriente a través de un enchufe de pared. Para poder ver, un robot puede estar equipado con cámaras, LIDAR y varios sensores. La visión de la computadora se combina con las cámaras, y los sensores envían directamente datos ambientales como la velocidad, la posición, el equilibrio, etc. al sistema de control del robot. Si el aprendizaje automático es solo una combinación de estadísticas y programación, los robots son una combinación de muchas otras cosas. En ambos casos, ninguno se acerca a una inteligencia general como el droide 3-CPO de Star Wars. Si ese es el caso, ¿cuál es el estado actual del arte de la robótica? La investigación en robótica se divide en muchas áreas de enfoque, con algunas personas trabajando en sensores, destreza de robot, interacción entre humanos y robots, movimiento autónomo, etc.

Se proyecta que los robots humanoides alteren áreas de venta minorista, hospitalidad y servicio de alimentos. Es probable que ya haya visto en línea los sistemas de menú automatizados para McDonald's y otros restaurantes de comida rápida. Definitivamente se está trabajando en estos sistemas, pero es posible que no se vea la implementación por varias razones. Algunas empresas nuevas incluso están trabajando en sistemas de fabricación de hamburguesas que pueden realizar prácticamente todas las tareas de una aleta de hamburguesas promedio a una fracción del costo. El papel del robot humanoide en el servicio al cliente es más obvio en lugares como Japón, donde la robótica ha entrado en los medios populares. De todas las naciones industrializadas en la actualidad, Japón tiene la mayor densidad de robots por un amplio margen. La mayoría de estos robots se utilizan en la industria automotriz, pero algunos de ellos asumen roles de servicio al cliente. Se pueden encontrar en tiendas departamentales seleccionadas para saludar a los clientes y en aeropuertos que actúan como transportistas de equipaje. Con una población en constante contracción y menos trabajadores no calificados dispuestos a hacer estos trabajos, tiene sentido que Japón tenga una alta tasa de adopción. Para muchos ciudadanos japoneses, los robots de servicio sirven para aumentar la calidad de vida y son una parte normal de su vida diaria.

Sin embargo, aún queda mucho camino por recorrer para que el consumidor promedio de otros países se acostumbre a estos sistemas robóticos y automatizados. Algunos incluso dirían que simplemente no existe la necesidad. En 2017, las muertes en Japón superaron en número a los nacimientos por 1.000 a uno. La población se redujo en 264.000 personas en un solo año. Otras naciones industrializadas con tasas de desempleo en aumento y una población estable tal vez no necesiten tantos robots. También existen otras preocupaciones, además de la población y el desempleo, sobre por qué los robots de servicio aún no se ven en el extranjero. Superar el extraño efecto de valle no es una tarea fácil, especialmente con las generaciones mayores. En Japón, la gente está acostumbrada a ellos, por lo que el efecto tiene menos peso, aunque no se puede decir lo mismo de las generaciones mayores en otros países. Los jóvenes de hoy se sienten más cómodos utilizando las líneas de autoservicio y los sistemas automatizados, pero la generación de más edad se suscribe abrumadoramente a la importancia de la interacción cara a cara con su comunidad. Un gran argumento para la adopción de robots de servicio en Japón es su gran población que envejece. El cuidado al final de la vida es sinónimo de vida asistida, pérdida de autonomía personal y contratiempos embarazosos. Estas son áreas que los robots de servicio pueden abordar directamente. Por un lado, es menos probable que un paciente mayor se sienta avergonzado si un robot está limpiando después de que haya algún accidente en el baño. Si hay una fuerte interacción entre humanos y robots, el paciente puede sentir que el robot es una parte de sí mismo, como creemos que lo son nuestros teléfonos. El resultado es una ganancia neta en la autonomía personal, considerando todas las cosas.

Con una escasez de profesionales de geriatría y cuidado personal más una población global que envejece, no soslo en Japón, se proyecta que los robots de servicio aumentarán. Cada vez menos

personas se inscriben para estos fines importantes de las carreras de la vida. El salario de estos trabajos es bajo en comparación con otras profesiones médicas que requieren una cantidad similar de capacitación. Si nadie más quiere cuidar a los ancianos, ¿quién lo hará? No todas las familias están dispuestas o son capaces de cuidar a los padres ancianos. Además, el riesgo de negligencia profesional y abuso en las instituciones de vida asistida es alto. Cuidar a los ancianos no es un trabajo fácil de ninguna manera. Combine esto con un salario exiguo, y tendrá la base para un trato injusto. Toda persona que envejece merece ser tratada con dignidad y respeto. Si los robots de servicio pueden brindar este tipo de tratamiento es un tema de debate. Y es un debate que sin duda se desarrollará dentro del siglo actual.
¿Las generaciones mayores estarían interesadas en usar un robot de servicio para sus necesidades diarias? Para algunos, un robot puede parecer intimidante o impersonal. Después de todo, los robots no son inteligentes como somos nosotros. Pueden ser capaces de manejar habilidades de conversación básicas y responder a nuestros comandos, pero eso está muy lejos de la inteligencia genuina. También está la cuestión de si estos sistemas deberían tener un aspecto similar al humano o seguir siendo, obviamente, un robot. Los robots humanoides tienen más probabilidades de crear un extraño efecto de valle, pero no es exclusivo del diseño humano. Cualquier robot que actúe lo suficientemente "vivo" puede provocar el efecto. La investigación en el área de la mejora, el efecto valle cae bajo la interacción humano-robot. Sabemos por esta investigación que ciertos comportamientos robóticos provocan ciertas emociones humanas como el miedo y la incertidumbre. Por ejemplo, cuando un agente robótico se acerca demasiado o invade el espacio personal de alguien, hay una respuesta de miedo. Si un robot simplemente está descansando sin ningún propósito, el humano lo percibe como desalentador e incluso inútil. La interacción con estos sistemas puede resultar en un comportamiento imprevisto en el ser humano. Es probable que los humanos atribuyan rasgos de personalidad a un robot incluso cuando no están programados explícitamente. Este

factor de imprevisibilidad ha llevado a los investigadores y diseñadores a agregar señales emotivas a sus robots.
Donde los robots de servicio sufren el extraño efecto de valle, los robots de utilidad no. Prácticamente todos los principales militares del mundo están invirtiendo en robots para ayudar en el campo de batalla y en las operaciones. Una empresa con sede en los Estados Unidos, Boston Dynamics, está trabajando en sistemas robóticos conocidos por su movilidad. La compañía llegó a los titulares con su diseño de un robot cuadrúpedo llamado BigDog para la Agencia de Proyectos de Investigación Avanzada de la Defensa (DARPA). El robot tiene aplicaciones militares obvias como una mula de carga que lleva municiones y suministros para los soldados en patrulla. El proyecto finalmente fue desechado porque el sistema se consideró demasiado ruidoso para ser utilizado en operaciones de combate en vivo. Sin embargo, este tipo de sistemas se consideran en su mayoría prototipos. Otros robots utilizados por los militares de los Estados Unidos incluyen la familia Foster-Miller TALON de vehículos operados a distancia. Se asemejan a pequeños tanques o exploradores planetarios con movimiento completamente rastreado. Son capaces de usar desde armas de fuego pequeñas hasta ametralladoras pesadas de forma completamente remota. Aunque TALON vio cierto despliegue en Irak y Afganistán, su uso actual sigue siendo limitado. Otros sistemas completamente armados se utilizan fácilmente como el avión no tripulado Predator MQ-1 de General Atomics y el MQ-9 Reaper. Estos pertenecen a una clase de aeronave llamada UAV o vehículos aéreos no tripulados. Los drones Predator y Reaper pueden ser controlados por un operador en tierra o pueden volar de forma autónoma con la dirección de las computadoras a bordo. Estos sistemas se han enfrentado a un mayor escrutinio con asesinatos de alto perfil que involucran a civiles y cuestionables reglas de participación. En 2011, bajo la administración de Obama, un ciudadano estadounidense de 16 años de ascendencia yemenita fue asesinado en un ataque con un avión no tripulado mientras comía en un restaurante en Yemen. No está claro

por qué fue atacado el niño, pero su padre era un presunto líder de Al Qaeda y luego fue asesinado en un ataque similar.
La legitimidad de los llamados "robots asesinos" se cuestiona de vez en cuando al ser anunciado un nuevo sistema. En el centro del debate está si una nación debe poseer el tipo de poder para matar de forma remota sin juicio y en el caso de un joven de 16 años en un país que no está en guerra. Los comentaristas se apresuran a señalar que una máquina con poder de matar es capaz de ser hackeada. Hacen un llamamiento al escenario "Skynet" donde las armas autónomas ganan sensibilidad y comienzan a exterminar a los humanos. Dichos escenarios son en su mayoría ciencia ficción y no son útiles en el debate. Si bien sabemos que algunos de estos sistemas son vulnerables a ser pirateados, todavía tenemos que ver cómo un sistema autónomo pirateado causa la pérdida de vidas y de miembros. Si alguna vez hay un caso en el que uno lo hace, puede causar suficientes problemas para que los gobiernos se vean obligados a prohibirlos. Sin embargo, otros cuestionan si los robots que van a la guerra son una buena idea. Si los algoritmos de aprendizaje automático de última generación apenas pueden conducir los cuidados autónomos con un cierto grado de seguridad, ¿cómo podemos esperar que un robot realice un llamado a la guerra? La guerra tiene varias dimensiones más de complejidad que la conducción por la calle. La implementación de robo-soldados reales parece ser un uso improbable del gasto militar con la tecnología actual, aunque puede estar seguro de que los principales gobiernos los están investigando.
Un "robot asesino" es un término general que también es inútil. ¿Debería considerarse un robot Predator un robot, como lo es un tanque con una torreta autónoma? Las armas de centinela han estado en desarrollo durante varios años y se despliegan regularmente en el campo de batalla. Los más comunes de estos se llaman sistemas de armas cercanas (CIWS, por sus siglas en inglés) y se usan para proteger los buques de guerra de los ataques con misiles y aviones. Un CIWS es básicamente un cañón de gran calibre con una alta velocidad de disparo capaz de disparar misiles a 4.000 disparos por

minuto o más. A diferencia de los sistemas antiaéreos de su antecesor que pueden haber requerido la observación manual, los CIWS utilizan guías de radar en una plataforma mecánica giratoria para bloquear objetivos de forma autónoma. No solo eso, sino que una vez "en vivo", el sistema de armas puede activarse sin entrada manual después de bloquearlo. Dispara a cualquier misil o aeronave que sea detectado por el sistema de radar automáticamente. En el caso del Phalanx CIWS utilizado por la Marina de los Estados Unidos, se usa un solo cañón Vulcan de 20 mm con precisión similar a una computadora. El problema de la focalización se reduce a un algoritmo simple. No requiere aprendizaje automático ni ninguna otra técnica de inteligencia artificial sofisticada. Si el radar capta un objeto que se está acercando a la nave, primero debe asegurarse de que su rumbo se dirige hacia la nave. Si la aproximación del objeto se dirige directamente hacia la nave, entonces el sistema debe decidir disparar. Si el objeto está entre el rango de velocidad mínimo y máximo, entonces el cañón se dispara. Pero si el objeto es demasiado lento o demasiado rápido, el sistema no hace nada. Tanto el rango de velocidad mínimo como el máximo pueden ser programados por el operador.

Los CWIS, al igual que los Phalanx, se consideran armas autónomas, pero utilizan una tecnología muy simple que ha existido desde la Guerra del Golfo. Sin embargo, para los estándares de hoy, esto sigue siendo un cañón "tonto". La naturaleza imperfecta del arma se ha demostrado en unos pocos ejercicios de entrenamiento desastrosos. En una instancia, el sistema derribó con éxito un avión no tripulado de práctica, pero el combustible y los escombros de la explosión hicieron daño al barco y los miembros de la tripulación. En otro caso, el avión no tripulado de práctica fue derribado, pero el sistema lo volvió a atacar mientras caía, enviando inadvertidamente rondas en dirección a un barco opuesto e hiriendo a miembros de la tripulación. Este comportamiento debe esperarse de sus simples reglas de operación. Un sistema de armas más sofisticado probablemente podría haber evitado estos incidentes. Pero como sistema de defensa de misiles de último recurso, el Phalanx hace un trabajo relativamente bueno contra los ataques de misiles aislados. Otros sistemas autónomos guiados por radar son comunes en todo el mundo. Nuevamente, estos no necesitan esquemas de aprendizaje automático complicados para identificar objetivos y comprometerlos. Algunos comentaristas consideran que el sistema de cúpula de hierro de Israel para la defensa de misiles es el sistema de defensa contra misiles más avanzado del mundo. Estos sistemas demuestran cierto grado de inteligencia, pero en realidad lo único que hacen es calcular las velocidades.

A fin de cuentas, el futuro de la robótica es brillante. La demanda de sistemas de robots probablemente aumentará en proporción desigual a los profesionales de la robótica, creando empleos bien pagados para aquellos que estén interesados. Habrá un exceso de estos trabajos y una escasez de diseñadores e ingenieros de robótica. Al mismo tiempo, pueden surgir trabajos de baja cualificación, como técnicos de robots y reparadores. La robótica se infiltrará en otras áreas de la tecnología como el espacio de computación en la nube y el Internet de las cosas. Los robots conectados a la nube llevarán a la creación de un mercado de robótica en la nube donde los licitadores pueden programar robots de forma remota para realizar ciertas tareas. Al igual que las habilidades de Alexa, estos programas de robot específicos se pueden comprar y vender en un mercado abierto. No solo esto, sino que la robótica está asumiendo roles cada vez más importantes en la estructura empresarial. Surgirá una nueva posición ejecutiva llamada director de robótica (CRO) para organizaciones vanguardistas que hacen un uso intensivo de los sistemas robóticos.

Hay vistas divididas acerca de hasta dónde puede llegar el campo o la robótica cuando se trata de automatizar las tareas humanas. Si la introducción de estas tecnologías lleva o no al desempleo técnico y si deben regularse, es un tema de debate.

Capítulo 12: El Internet de las cosas

Imagine usted un mar de dispositivos conectados que puedan comunicarse entre sí y transmitir información. El Internet de las cosas es una de esas palabras de moda que se lanzan mucho, pero que sin embargo tiene un nombre relevante. Internet es la abreviatura de "red de redes internas" o simplemente red de redes. Una empresa o universidad tiene su propia red de computadoras conectadas que pueden o no estar conectadas a Internet. Esto se llama una intranet. Cuando conecta esas intranets a través de un protocolo de enrutamiento común como lo hace Internet, tiene una comunicación digital a gran escala. El Internet de las cosas entonces es una red de dispositivos conectados. Las tarjetas adaptadoras de red, cada vez más pequeñas, permiten que los dispositivos sean más pequeños y se adapten a prácticamente cualquier lugar. Para dar una idea de cuán pequeños pueden llegar a ser estos dispositivos, una baliza Bluetooth de bajo consumo de energía tiene aproximadamente 30 mm de diámetro, 10 mm de espesor y pesa aproximadamente 7 gramos. Además de ser minúsculo, este dispositivo tiene un bajo consumo de energía y, según la configuración, puede durar un par de años antes de necesitar un reemplazo de la batería. Los dispositivos como estos tienen un rango de transmisión pequeño dependiendo de qué tecnología inalámbrica utilizan para comunicarse. Pero como son pequeños, baratos y de producción masiva, muchos dispositivos pueden colocarse en un área de interés para formar una red de retransmisión que puede aumentar efectivamente el rango de transmisión.

El Internet de los dispositivos conectados está programado para explotar en las próximas décadas, ya que estos dispositivos se vuelven más baratos y las células de energía solar mejoran. El Protocolo de Internet (IP) bajo el espacio de nombres IPv4 para direcciones IP permite un máximo de 4.294.967.269 direcciones. IPv4 utiliza direcciones de 32 bits de aproximadamente 232 bits en tamaño total. Solo hay unas pocas combinaciones de direcciones diferentes que ofrece el protocolo. Sin embargo, el protocolo IPv6, mucho más nuevo y mejorado, utiliza direcciones de 128 bits y, como puede imaginar, ofrece por su magnitud, más direcciones. De hecho, hay entre 10 y 22 direcciones de poder, que es un número alucinante. Parte del razonamiento detrás de la implementación de IPv6 fue que el mundo se estaba quedando sin direcciones IP para usar en los sitios web. Otra razón fue que el Internet de las cosas agrega significativamente más dispositivos conectados que requieren direcciones IP únicas. Con IPv6, el mundo está listo para soportar la carga del Internet de las cosas.

A nivel del consumidor, la penetración del Internet de las cosas ha sido alta en los últimos años. La llamada revolución del "hogar inteligente" ha visto una introducción de dispositivos inteligentes, termostatos, abridores de garaje, tostadoras, microondas, televisores y refrigeradores que están conectados a Internet. Estos dispositivos generalmente vienen equipados con una interfaz o panel de control común que se puede configurar a través de un teléfono inteligente. ¿Por qué alguien querría comprar un electrodoméstico común que esté conectado a Internet? Es una buena pregunta, una que los equipos de mercadeo de todo el mundo tuvieron que enfrentar cuando se diseñaron estos productos. Los beneficios de una conexión a Internet son obvios para algunos aparatos y menos obvios para otros. Un refrigerador inteligente que viene equipado con un escáner de código de barras puede mantener un inventario del suministro de alimentos del hogar, así como también anotar cuando los productos están a punto de caducar. La aplicación de teléfono inteligente complementaria puede mantener una base de datos de todas las compras de alimentos a lo largo del año y ofrecer análisis básicos. Más técnicamente, los usuarios inclinados pueden buscar una manera de exportar sus datos para un análisis más detallado. Como puede imaginar, estos productos tienden a apoyarse en el lado costoso y se están comercializando hacia hogares de clase media y alta.

Una definición más general llamada automatización doméstica se refiere a los dispositivos, tecnologías y sistemas de control que ayudan en la economía doméstica. En el nivel más básico, usted tiene cosas como abridores de garaje y luces que prenden al aplaudir. En algún lugar del medio, tiene sistemas de iluminación, sistemas de cine en casa y control de temperatura. En el extremo superior, obtiene cosas que solo están limitadas por el espíritu DIY del propietario. Un individuo suficientemente capaz, digamos un ingeniero, puede concebir un sistema automatizado de alimentación de mascotas que solo requiere que los alimentos se repongan de vez en cuando en lugar de en cada comida. Los sistemas de irrigación del consumidor también pueden venir con un componente "inteligente", posiblemente una interfaz de tablero de instrumentos con opciones para configurar la frecuencia de riego, etc. FarmBot es un sistema de jardinería doméstica automático que ni requiere de ningún esfuerzo para mantenerlo. Imita la arquitectura de una fresadora CNC, pero está equipada con paletas y desbrozadoras de semillas. Mientras que el kit básico cuesta más de $ 3.500, la compañía mantiene que el sistema es 100% de código abierto. Esto concuerda con la ética del bricolaje detrás de muchos productos del Internet de las cosas. Las ventas de sistemas de seguridad para el hogar también han aumentado en los últimos años. Muchas empresas de tecnología están aprovechando al máximo la revolución del Internet de las cosas en los espacios de seguridad y los consumidores tienen varias marcas para elegir. Asistentes inteligentes como Amazon Echo y Alexa también han ganado popularidad. Ayudan en el proceso de automatización del hogar al escuchar los comandos del usuario y ejecutar alguna función. Esto puede ser navegar por la web, crear una lista de compras, reproducir música y un sinfín de otras cosas. El usuario puede vincular las "habilidades de Alexa" que son los comandos programables que los dispositivos ejecutan después de cada comando. Estas habilidades se pueden buscar fácilmente en línea, y cualquier persona con conocimientos en programación sabe cómo publicarlas.

La automatización del hogar es especialmente relevante para el envejecimiento de la población, ya que las necesidades de las personas mayores son innumerables cuando se vive en el hogar. Para algunos, los sistemas pueden demorar la necesidad de ser admitidos en un centro de salud. Sin embargo, con la tecnología actual no hay mucho que estos sistemas puedan lograr. Ascensores para personas que usan sillas de ruedas han existido durante años. La automatización del hogar no es algo nuevo, pero ciertamente ha ganado un interés renovado con la tecnología de Internet de las cosas. Una aplicación de los principios del Internet de las cosas a la automatización del hogar para personas mayores tiene muchos beneficios. Una de las características más importantes que necesitan muchos propietarios de viviendas de edad avanzada es un sistema de alerta que puede llamar a los servicios de emergencia si están incapacitados. Las alertas que no son de emergencia, como recordatorios para tomar medicamentos y programar citas con el médico, también son útiles. El verdadero uso de las metodologías de Internet de las cosas incluiría un dispositivo inteligente que se lleva en la muñeca o el tórax y que envía información al médico del paciente sobre la frecuencia cardíaca y la presión arterial. Los recientes avances en la tecnología de tejido inteligente permiten que esta funcionalidad se incruste en la misma ropa que usan los pacientes. En el futuro, estos sistemas podrán integrarse con la robótica para obtener asistencia adicional. Los robots domésticos prepararán las comidas, limpiarán al paciente y lo ayudarán en las tareas del hogar.

Otra novedosa familia de aplicaciones del Internet de las cosas pertenece al sector industrial. Los sensores inteligentes pueden transmitir información sobre las condiciones climáticas, el estado del equipo y la logística. La tecnología RFID se puede utilizar para rastrear las unidades de mantenimiento de stock (SKU) que se mueven de un almacén a otro. El llamado "internet industrial" combina dispositivos en red, análisis de big data y actualizaciones en tiempo real. Estas métricas siempre activas son relativamente baratas para ser implementadas por grandes compañías como General Electric y, sin embargo, proporcionan una gran cantidad de información. Las áreas donde el proceso industrial o de fabricación causan ineficiencias pueden ser fácilmente detectadas por sus operadores. Una vez que se identifica un cuello de botella, los cambios necesarios para corregirlos se ponen en primer plano. Aumentar el número de dispositivos conectados reduce los costos irrecuperables en forma de pérdidas de productividad al optimizar todo el proceso. Cuando usted tiene todos los datos del mundo, tiene opciones. Aunque General Electric sigue siendo una potencia industrial de Internet, el concepto ha sido adoptado lentamente a nivel mundial.

Los dispositivos de Internet de las cosas también se han propuesto para la creación de "redes inteligentes" para servicios públicos comunes. La idea es utilizar dispositivos de monitoreo para medir el nivel de las necesidades de electricidad, de modo que la red pueda mover recursos a las áreas que más lo necesitan, mientras que aumenta la eficiencia. Esto permite la comunicación bidireccional entre el proveedor de servicios públicos y el consumidor. Las redes inteligentes en última instancia conducen a tasas de electricidad más bajas para el consumidor y disponibilidad general para todos. Un beneficio oculto de transformar las redes eléctricas en redes inteligentes es que los equipos viejos se reemplazan con los nuevos. No es ningún secreto que las infraestructuras de Estados Unidos se están desmoronando lentamente. La instalación de nuevos dispositivos en red les da a los políticos responsables la excusa para finalmente deshacerse de las partes problemáticas. Una red más nueva es una red más segura y confiable. Una red inteligente es una forma de hacer cosas. El cliente tendrá acceso a medidores inteligentes a los que se puede acceder a través de sus teléfonos inteligentes cuando lo deseen. Allí pueden ver su factura mensual, las tasas de uso y las oportunidades para ahorrar. Una red inteligente prioriza los recursos para picos de alta demanda, pero a un costo mayor. Esto permite a los clientes ahorrativos ahorrar su consumo de electricidad más exigente durante períodos de baja demanda, ahorrando dinero en el proceso. Otro beneficio para las redes inteligentes es una mayor disponibilidad para las estaciones de carga de vehículos. Tal como está, la red eléctrica de los Estados Unidos. No está lista para el cambio a una sociedad de automóviles principalmente eléctrica. En cambio, las transmisiones eléctricas solo son prácticas en ciertas áreas de alta densidad donde las estaciones de carga están fácilmente disponibles.

Dado que la tecnología del Internet de las cosas genera grandes cantidades de datos, los sistemas de aprendizaje automático existentes solo serán más inteligentes. Si una empresa ya está utilizando sensores y otros dispositivos conectados para recopilar datos, puede estar seguro de que están utilizando un lago de datos o una solución de almacenamiento de datos para almacenarlo. Los análisis en tiempo real requieren que los motores de ingesta de datos de gran ancho de banda analicen la información a medida que se transmite a los servidores. Big Data solo se proyecta para crecer junto con la adopción de estos dispositivos en red. El Internet en su forma actual genera una gran cantidad de datos. Las aplicaciones de medios sociales como Snapchat e Instagram suben miles de fotos y videos generados por los usuarios cada minuto. Facebook, LinkedIn, Quora y otros generan datos a través de publicaciones de usuarios, así como análisis internos y de terceros para cada usuario. Prácticamente cualquier sitio web de alto tráfico utiliza complementos de terceros para el seguimiento y la recolección de datos. Estos registran cosas como movimientos del ratón,

pulsaciones de teclas y clics en banners publicitarios. Básicamente, cualquier acción que realice un agente humano en una cuenta registrada puede generar datos para varias compañías.
Si agrega a esto el Internet de las cosas, que genera diferentes tipos de formatos de datos según las tecnologías inalámbricas, el exceso global de datos se dispara. Por ejemplo, la World Wide Web utiliza varios formatos de datos que son bien conocidos por los científicos de datos. Estos incluyen JSON, CSV (valores separados por comas) y XML. Muchos dispositivos que están conectados a través de protocolos web como HTTP se comunican con este tipo de datos en columnas. Se espera que la cantidad de dispositivos conectados alcance los 31 mil millones en 2020. Eso es casi 30 veces la cantidad de personas que actualmente están en línea. La cantidad de datos que generan estos ciudadanos conectados fue de alrededor de 2.5 quintillones de bytes al día en 2017. Podemos esperar que el campo del aprendizaje automático crezca, con nuevas técnicas y algoritmos agregados al ya diverso repertorio de inteligencia artificial estrecha. Debido a que los dispositivos conectados pueden ser prácticamente cualquier cosa, es difícil decir de qué manera se implementarán. Sin embargo, tenemos un sentido general de hacia dónde van las cosas. Los principios más importantes de las tecnologías del Internet de las cosas son la detección, la comunicación y la transmisión. Por lo tanto, el Internet de las cosas se utilizará para crear sistemas de comunicaciones a gran escala de dispositivos pequeños.
Una ciudad inteligente es un tipo de área metropolitana urbana que utiliza la conectividad de Internet de las cosas para el análisis, la infraestructura de datos optimizada y la prestación de servicios públicos, y las redes de transporte. Una ciudad orientada a los datos es una que utiliza tecnologías de redes inteligentes para aumentar la eficacia energética, tiene una actitud abierta hacia la participación ciudadana y ha optimizado las flotas de transporte público. Los ciudadanos pueden descargar una aplicación en su teléfono que les da su propio tablero personal en la ciudad en tiempo real. Pueden leer métricas, consultar horarios de transporte, alertas de tráfico y varias otras funciones. Las tecnologías les permitirán encontrar

lugares de estacionamiento vacíos, reportar baches y medir la densidad humana de sus lugares favoritos. La mayor parte de esta funcionalidad provendrá de redes de sensores conectados. Las redes de vehículos, incluidas las comunicaciones de vehículos a vehículos, harán que la conducción sea más fácil, más segura y allanará el camino para las flotas de vehículos que conducen de forma autónoma. Un moderno vehículo del año está equipado con innumerables ECU (unidades de control electrónico) que se comunican entre sí en una red integrada en el vehículo. Estos se utilizan para diagnósticos de vehículos bajo pedido, conformidad con los estándares de control de emisiones e incluso sistemas de ruptura. Los vehículos se están informatizando cada vez más hasta el punto en que son comunes los modelos que utilizan la conducción por cable. Estos modelos utilizan un tipo de dirección electrónica que evita la necesidad de tener una columna de dirección mecánica. Las redes de vehículo a vehículo permiten rendimientos eficientes en carreteras con mucho tráfico. Incluso se pueden configurar para detectar accidentes y evitarlos en tiempo real. Si los automóviles pueden comunicar sus posiciones, velocidad y dirección, entonces disuadir un accidente es un medio simple de frenar o conducir el automóvil por sí solo cuando el conductor no está prestando atención.

Al igual que las otras aplicaciones de estas tecnologías analizadas en capítulos anteriores, el papel de la regulación y los marcos legales no se puede enfatizar lo suficiente. Incluso si la tecnología está ahí, no significa que exista una política sólida para implementarlos. Los autos sin conductor son una pesadilla regulatoria, al igual que las redes vehiculares que alteran el comportamiento de los vehículos tripulados. Algo que se presenta una y otra vez con los dispositivos conectados es la disponibilidad de una comunicación segura. Para muchos en la industria de la seguridad, conectar una infraestructura vital y redes privadas representa un riesgo de seguridad que supera los beneficios potenciales. Dado que este es un espacio relativamente nuevo con diferentes tecnologías inalámbricas, los posibles vectores de ataque están en todas partes. Es difícil para Internet mantener una postura de seguridad fuerte porque existe una mayor superposición entre la intrusión física y la inalámbrica. Además de atacar de forma inalámbrica un sensor o una red vehicular, un atacante potencial también puede ir al sitio físico donde se encuentra el sensor. En términos de la industria, estos se denominan ataques de capa física y capa de red respectivamente. Como estas redes utilizan muchos nodos individuales, la superficie de ataque solo aumenta. La gran cantidad de consumidores que los dispositivos de Internet de las cosas conectan a Internet plantea la amenaza de la proliferación de los virus. La amenaza de ataques de denegación de servicio a gran escala es un temor comúnmente citado por los investigadores de seguridad. Imagine una red zombi de millones de aparatos domésticos como tostadoras, refrigeradores, altavoces y termostatos que pueden usar protocolos web para inundar servicios web legítimos con solicitudes de comunicación.

Solo el tiempo dirá si la postura de seguridad del Internet de las cosas puede endurecerse hasta el punto en que los reguladores estén más dispuestos a aceptarlas. La investigación continua en la seguridad de las redes vehiculares tendrá que mejorar para que los municipios den el visto bueno a los sensores vehiculares en la carretera. Lo mismo puede decirse de las redes inteligentes. En todo el mundo, se realizan experimentos en ciudades inteligentes a medida que lee esto. Una simple búsqueda en Google puede apuntarle en la dirección correcta hacia esa ciudad cercana a usted. En cualquier caso, puede esperar escuchar más sobre la seguridad, la implementación, las redes de vehículos y la regulación de Internet en los próximos decenios. Cualquier nueva tecnología suele ser lenta en ser adoptada, pero cuando lo es, tiene el potencial de revolucionar la sociedad.

Capítulo 13: ¿Por qué la IA es el nuevo título en negocios?

Érase una vez, el título universitario más popular era un título en negocios. Si un estudiante no sabía qué campo de estudio quería escoger, pero todavía quería un trabajo decente, el título en negocios era el camino a seguir. Ahora, hay una sobreabundancia de estudiantes que van a obtener sus MBA, pero no lo suficiente como para obtener títulos en inteligencia artificial. Mientras que el mundo de los negocios se enfrenta a una saturación del conocimiento de los negocios, la inteligencia artificial se enfrenta a una escasez de conocimientos de inteligencia artificial. Nunca ha habido un momento en la historia en el que obtener un título en ciencias informáticas centrado en los métodos de inteligencia artificial haya sido más lucrativo. Muchas escuelas de primer nivel ahora ofrecen nuevos títulos que se centran en la inteligencia artificial y la gama de robótica en lugar de los conocimientos informáticos generales que se enseñan en los programas informáticos tradicionales. Esto significa que hay demanda en el mercado, así como muchos candidatos interesados en los títulos.

No es de extrañar por qué la IA está cambiando rápidamente la cara de los negocios en múltiples sectores. Los trabajos relacionados con la tecnología están pidiendo cada vez más que sus candidatos tengan un conocimiento sólido de los métodos de aprendizaje automático junto con sus otras tareas esperadas. Prácticamente todos los principales jugadores de inteligencia artificial ya han abierto algunas de sus bibliotecas de aprendizaje automático, de modo que todos, desde nuevas empresas hasta grandes corporaciones, tengan acceso para crear programas de inteligencia artificial con pocos costos iniciales. Google lanzó TensorFlow en 2015, y desde entonces se ha convertido en uno de los repositorios más populares de GitHub, la autoridad de código abierto definitiva de hoy. Otra biblioteca de código abierto llamada PyTorch se usa ampliamente en Facebook y Uber. Si bien los participantes más pequeños en el espacio de la IA se benefician de la contratación de doctores en el campo, ya tienen muchas de las infraestructuras centrales para crear redes neuronales proporcionadas por estas herramientas gratuitas. La disponibilidad de estas herramientas se combina con un fácil acceso a los recursos computacionales proporcionados por proveedores de la nube como Amazon Web Services y Microsoft Azure. Una empresa ya no tiene que invertir en un grupo de GPU de aprendizaje automático de alto costo cuando simplemente pueden alquilar toda la potencia de procesamiento que necesitan desde la nube. Si bien estos servicios son más caros a largo plazo, aún hacen que sea más fácil para una empresa que construir infraestructura de aprendizaje de máquina por completo.

Las herramientas de inteligencia artificial permiten que una empresa se involucre en el aprendizaje automático que antes puede que no haya encontrado un uso para ello. Una tendencia relativamente nueva es utilizar el software de chat bot automatizado en sus páginas web orientadas al cliente para una recuperación rápida y fácil de la información. Un cliente puede solicitar tarifas, productos disponibles y otra información simplemente escribiendo algunos comandos de texto. Si bien los chatbots están un poco atrasados en cuanto a realizar todo su potencial, muchos consumidores se están familiarizando con ellos. Algunas compañías incluso contratan agentes humanos para que cumplan el rol de chatbot hasta que exista la tecnología para permitir que los chatbots realicen estas tareas por su cuenta. Otra aplicación común de la tecnología de la IA es predecir el comportamiento del cliente. El enfoque en el análisis está en su punto más alto para todos los tipos de empresas, no solo para minoristas. Junto con el mercadeo en las redes sociales y el comercio electrónico, el análisis impulsa mejores decisiones de los clientes para la compañía a largo plazo. También ha habido un aumento en las empresas centradas exclusivamente en la "inteligencia artificial" que comercializan un solo producto o línea de productos que tienen funcionalidad de inteligencia artificial. Uno de estos se llama Grammarly, un servicio en línea que utiliza métodos de IA para simplificar el proceso de escritura. Proporciona edición para errores simples, errores de escritura y sugerencias de cosas que el usuario puede decir para que suene más profesional. Esencialmente, es un tutor de escritura que el usuario puede llevar con ellos a donde sea que vaya. Otra compañía llamada Stick-Fix utiliza la IA para recomendar opciones de ropa a sus clientes en función de una serie de preferencias. Un usuario designa su rango de precios, ingresa sus medidas y elige el estilo que está buscando, y el servicio le envía una caja de equipos para que se los pruebe.

Las grandes empresas pueden usar la inteligencia artificial para automatizar sus sistemas. Esto es especialmente cierto en trabajos de manufactura y mano de obra que requieren mucha mano de obra, aunque pasarán muchos años antes de que muchos de estos trabajos sean completamente automatizados. El ejemplo de la planta de reciclaje dado anteriormente en este punto queda por resolver en una escala masiva. La mayoría de los sistemas de automatización comienzan por ayudar a los trabajadores de la línea en lugar de reemplazarlos por completo. Si bien los trabajadores poco calificados corren un alto riesgo de perder sus trabajos debido a la automatización, el cambio no ocurrirá de la noche a la mañana. El escenario más probable es que cuando la robótica se introduzca por primera vez en nuevas industrias, trabajarán junto con los empleados humanos. Esto ya es una realidad en el negocio de fabricación de automóviles. En 2018, Tesla Motors fue altamente analizado por líderes empresariales en sus intentos de automatizar grandes porciones de su producción del Modelo 3. El resultado fue una sobreestimación de las capacidades de automatización y una subestimación de las capacidades del trabajador humano. La compañía no sabe cuántos modelos 3 podrían producir por mes usando su planta altamente automatizada. Este movimiento fue criticado por veteranos de la industria, algunos de ellos lo calificaron como un "error de novato". El estado de la robótica moderna todavía está detrás del poder de la mente y especialmente de la destreza humana. Imitar los mismos movimientos micro-musculares utilizados para manipular herramientas en la mano humana es un problema no trivial para resolver con robots. Probablemente pasarán décadas antes de que una máquina coincida con la destreza a nivel humano de un trabajador de línea con años de experiencia en su oficio.

Sin embargo, no solo los trabajadores de línea están en peligro de perder sus empleos. Los avances en inteligencia artificial, especialmente en el reconocimiento de voz y el procesamiento del lenguaje, amenazan con desplazar la enorme industria de los centros de llamadas con sistemas automatizados, aunque también es probable que haya décadas en desarrollo. El sector minorista está experimentando una transformación con los sistemas automatizados por encima de los ya altos números de ventas en línea. Menos personas salen a comprar. Al menos en lugares como Japón, se está invirtiendo activamente en robots comerciales. Incluso aquellos que disfrutan de un cómodo trabajo de cuello blanco tienen razones para mejorar su educación y habilidades técnicas. Los sistemas automatizados de nómina, contabilidad y balance de los libros están en desarrollo activo. En el futuro, incluso los programadores no estarán a salvo del diluvio de la IA. Los sistemas están siendo entrenados para realizar las tareas de programación más mundanas que a menudo se entregan a los programadores con menos habilidades. Esto incluye pruebas de software y la búsqueda de errores. Sin embargo, estando todo bajo la amenaza de la automatización, es probable que estos sistemas se implementen para que trabajen lado a lado con el programador en lugar de reemplazarlos por completo.

La tecnología de vehículos sin conductor también está en aumento. Incluso mientras lee esto, puede estar seguro de que varias compañías en todo el mundo actualmente tienen sistemas de conducción autónomos en alguna parte, reuniendo cada vez más datos para fortalecer sus algoritmos. Lo que probablemente sucederá con la tecnología de vehículos sin conductor es que la habilidad vendrá primero y luego la política. El hecho de que los vehículos sin conductor sean seguros, no significa que sean introducidos automáticamente. Hay demasiadas áreas grises para ver la adopción masiva de estas tecnologías pronto. En 2018, la primera muerte de un automóvil sin conductor fue registrada en Tempe, Arizona, por un automóvil propiedad de Uber. Puede estar seguro de que seguirán ocurriendo más muertes de este tipo hasta que la tecnología se perfeccione y aquí radique la dificultad en la formulación de políticas. Nunca ha habido un momento en la historia en que la ética de las máquinas haya sido utilizada para determinar leyes. Incluso si los autos sin conductor maten a varios cientos de personas al año (y probablemente lo harán), los legisladores y las compañías de seguros tienen que decidir si es preferible matar a varios miles. Existe una creciente necesidad de que las partes interesadas tengan esta conversación ética, así como de que los ciudadanos comunes estén informados sobre las políticas y los avances actuales. El principal factor disuasivo para los vehículos sin conductor que llegan a los medios populares será la ley, no las capacidades de la tecnología.

Actualmente, la industria está hambrienta de personas capacitadas en las principales bibliotecas de la IA. Los puestos mejor pagados están buscando doctorados y graduados de maestría, pero una buena parte de ellos está buscando a alguien que sea un programador competente. La necesidad abarca otras industrias además de solamente ingenieros de software. Los ingenieros mecánicos y eléctricos con conocimientos de técnicas de aprendizaje automático tendrán una gran demanda en los próximos años. Agregue a esto un conocimiento superficial en el Internet de las cosas, y tendrá un candidato altamente deseable.

Capítulo 14: Preguntas Frecuentes sobre la IA

Pregunta: ¿El aprendizaje automático tiene límites?
Respuesta:
El aprendizaje automático sin duda tiene sus límites. Incluso cuando se utilizan técnicas avanzadas como el aprendizaje profundo, estos sistemas están limitados por sus datos y selección de características. El aprendizaje profundo está un poco por delante de esa curva porque las características se pueden seleccionar automáticamente. Sin embargo, el aprendizaje automático solo puede aplicarse a los cinco problemas generales discutidos en el capítulo 6. Si un problema se encuentra fuera de ese espacio problemático, el aprendizaje automático actual nunca será adecuado para responderlo. Simplemente arrojar más datos será inútil si el aprendizaje automático no se alinea con el problema. Afortunadamente, o desafortunadamente, aún no hemos tenido legisladores de robots de aprendizaje automático.
Pregunta: ¿Cómo se utilizará la IA en el ejército?
Respuesta:
El Pentágono de los Estados Unidos ha mostrado cada vez más interés en el término "guerra algorítmica". Esa es la aplicación de

métodos de aprendizaje automático al campo de batalla. Lo más probable es que se utilice para la selección de objetivos y la predicción de movimientos enemigos. Sin duda, los sistemas autónomos con capacidades de "decisión decisiva" se desarrollarán a partir de estas aplicaciones generales, aunque como se mencionó anteriormente, hay una gran reacción contra la militarización de la IA por parte de la comunidad de investigación. Estas armas pueden o no obtener un estatus poco convencional por parte de la comunidad internacional en algún momento. Incluso si lo hacen, las grandes potencias seguirán su creación.

Otra posible aplicación de la IA será hacia la guerra cibernética, la infiltración de naciones a través de subterfugios, y la focalización de los sistemas de armas autónomos de los estados enemigos. Los algoritmos de la IA solo agregarán potencia a los ataques cibernéticos por parte de los actores estatales, y los sistemas de la IA pueden tomar el control de drones enemigos y plataformas de armas sin tripulación.

Finalmente, existe la amenaza inminente de reconocimiento facial utilizado para identificar objetivos. No sería extraño que los ataques de aviones no tripulados en el futuro estén dirigidos a actores nacionales. El ataque con aviones no tripulados en Yemen primero provocó la reacción de la comunidad internacional porque afirmó su derecho a atacar objetivos en suelo extranjero. Todavía tenemos que ver una huelga de este tipo dentro del país.

Pregunta: ¿Debería preocuparme perder mi trabajo?

Respuesta:

La respuesta corta es no. A menos que pertenezca a un determinado mercado vertical donde la automatización ya haya eliminado muchos trabajos, es probable que pueda estar tranquilo durante los próximos diez años aproximadamente. Si tiene una profesión que es un área activa de investigación de la IA como la industria de la conducción, todavía está protegido por la zona de amortiguamiento llamada regulación. Si toma su trabajo con seriedad y pertenece a estas industrias, valdrá la pena mantenerse al día con los avances tecnológicos actuales y especialmente con las regulaciones. La primera introducción de las tecnologías de automatización siempre ayuda al trabajador antes de eliminarlas por completo. Los conductores de camiones ya se benefician del control de crucero, por ejemplo. Los camiones sin conductor aún pueden necesitar operadores a bordo para supervisar la funcionalidad y casos extremos que la computadora no puede resolver. ¿Qué pasa si una persona loca salta delante del camión para entorpecerlo? Es más probable que hagan esto si el camión está completamente sin tripular. Lo mismo ocurre con los posibles escenarios de piratería. Afortunadamente para usted, los autos sin conductor son una pesadilla reglamentaria y probablemente no verán una adopción masiva durante algunas décadas.

Pregunta: He oído que la IA puede cambiar drásticamente el mundo, lograr la paz mundial e incluso acabar con la pobreza. ¿Hay algo de cierto en esto?

Respuesta:

Realmente depende de a quién le pregunte, ya que nadie entiende cómo se verá la IA dentro de 30 o 50 años. La inteligencia general artificial que converge con los objetivos de las humanidades podrá realizar muchas tareas mejor que nosotros. Entonces puede trabajar en estos problemas sin necesidad de comer o dormir, lo que produce avances a un ritmo exponencial. Tales sistemas probablemente podrían resolver los problemas más apremiantes hoy en día, como el cambio climático y la logística de los alimentos. Algunos creen que traerá una nueva era de abundancia donde las personas ya no tienen que trabajar. La riqueza creada por esta inteligencia alimentará un ingreso básico universal. Esas son las proyecciones más optimistas. Una explicación más detallada puede ser un mundo en el que la inteligencia artificial general se limita a empresas y gobiernos seleccionados, lo que contribuye aún más a la desigualdad de riqueza. Aun así, otra explicación práctica es que la IA general es una idea de moda que nunca verá la realidad.

Pregunta: ¿Qué tan preocupado debería estar por la IA en general?
Respuesta:
Para la persona promedio, hay poco de qué preocuparse. La mayoría de las aplicaciones de aprendizaje automático son completamente benignas. Hay algunas preocupaciones éticas y de privacidad, pero, de nuevo, la mayoría de las personas no se verán afectadas por ellas. Incluso si los militares adoptan estos sistemas de armas, existe un riesgo asintótico de que se utilizaran contra usted. Es decir, prácticamente cero. La pérdida de un trabajo puede ser una preocupación, en cuyo caso tiene una gran ventaja para pensar en qué otra industria puede cambiar. Recuerde que para cada aplicación terrible de la tecnología hay un beneficio potencial bueno para la humanidad. Imagine un mundo donde el contenido de gráficos se elimina de los sitios web familiares como Facebook. Imagine un mundo donde conducir sea tan seguro como volar un avión, donde los conductores jóvenes no corren un mayor riesgo de muerte. Imagine un mundo donde las ineficiencias del mercado se suavizan, lo que lleva a un aumento de la economía. Imagine un mundo donde el cáncer ya no es un asesino importante debido a la detección temprana y al descubrimiento avanzado de medicamentos. Imagine un mundo donde las personas mayores viven más tiempo y son atendidas con la dignidad y el respeto que merecen, sin tener que preocuparse más por los cuidadores abusivos o la vergüenza de perder su autonomía.
Pregunta: Si la IA general es descubierta y va mal, ¿qué pueden hacer los humanos?
Respuesta:
Al igual que en la mayoría de los escenarios intratables, la prevención es la cura. Confíe en que las empresas están haciendo lo correcto para garantizar que sus sistemas no se salgan del camino. En el futuro, la legislación de la IA será un tema de debate común. Si actualmente usted no es un votante, puede reconsiderar cuándo está en juego el destino de la humanidad. Hay una hipótesis sorprendente sobre la creación de la IA general que postula que cuanto antes se

descubra, menor será la amenaza existencial para la humanidad. Esto se debe a que cuanto más tiempo lleve, mejor tecnología y sistemas tendrá a su disposición. Imagínese si las máquinas de impresión 3D de nanotecnología están en uso activo cuando la IA general se ponga en línea. Si hiciera malvada, podría comenzar rápidamente a transformar la faz de la Tierra en una computadora gigantesca.

Conclusión

Gracias por llegar hasta el final de la *Inteligencia Artificial: lo que necesita saber sobre el aprendizaje automático, la robótica, el aprendizaje profundo, los sistemas de recomendación, el Internet de las cosas, las redes neuronales, el aprendizaje por refuerzo y nuestro futuro*. Debería haberle dado una mejor comprensión de la IA. Espero que ahora pueda entender los titulares de Internet que hablan sobre la IA sin sentirse completamente despistado. El conocimiento contenido en este libro debería haber sido suficiente para ese fin, y para alentarlo a sacar sus propias conclusiones.

El campo de la IA es vasto y siempre cambiante. Muchos métodos de la IA como los algoritmos genéticos, la inferencia estadística y los procesos estocásticos no se trataron en este libro, pero existen innumerables medios que sí los mencionan. Además, también puede encontrar un historial completo sobre la IA en la página de Wikipedia con los desarrollos actuales. Si desea dedicarse a la inteligencia artificial como un curso de estudio o incluso como una carrera, prepárese para un montón de matemáticas y programación de computadoras.